Het zwijgen van Maria Zachea

Van Judith Koelemeijer verschenen ook:
Anna Boom
Hemelvaart

Judith Koelemeijer

Het zwijgen van Maria Zachea

Een ware familiegeschiedenis

Uitgeverij Atlas Contact
Amsterdam/Antwerpen

Dit boek kwam tot stand mede dankzij de steun van
het Fonds Bijzondere Journalistieke Projecten.

Eerste druk, 2001
Vijfendertigste druk, februari 2016

© 2001 Judith Koelemeijer

Omslagontwerp en typografie Piet Gerards Ontwerpers
Omslagillustratie Ad Windig / Maria Austria Instituut
Foto auteur Bob Bronshoff
Drukkerij Wöhrmann, Zutphen

ISBN 978 90 450 1192 9
D/2008/0108/612
NUR 320

FSC
MIX
Papier van
verantwoorde herkomst
FSC® C110751

www.atlascontact.nl
www.judithkoelemeijer.nl

Inhoud

Voor mijn vader Piet en mijn moeder Lia

Ik geloof niet dat ze me nog herkent. Maar zeker weten doe ik dat niet, want ze blijft me strak aankijken.

'Dag oma', zeg ik. 'Ik ben het, de dochter van Piet.'

Ze blijft me aanstaren. Kunnen ogen ook ophouden met spreken? Er valt niet veel uit haar blik op te maken. Ik glimlach maar wat, leg onhandig mijn hand op haar magere arm. 'Dag oma', zeg ik nog een keer. Ze wendt haar gezicht af en kijkt weer naar de televisie.

Ik voel me opgelaten. In de bijna vijf jaar dat oma nu stil op haar stoel zit, ben ik bijna nooit bij haar op bezoek geweest. Ik was 21 toen zij eind 1988 werd getroffen door een hersenbloeding. Er waren reizen, liefdes, een nieuwe studie, een andere stad. Aan mijn oma dacht ik niet.

Ik kende haar ook nauwelijks. De 29 kleinkinderen waren haar best lief, we mochten met kerst allemaal komen sjoelen in de achterkamer. Maar ze was geen oma voor logeerpartijen, snoep en cadeautjes. Ze had al dertien kinderen grootgebracht – en dat vond ze meer dan genoeg.

Het is warm in de huiskamer. Mijn oom Nico zet koffie. Het is vanavond zijn beurt om op zijn moeder te passen. De familie wil niet dat oma, die sinds een paar jaar weduwe is, naar een verpleeghuis gaat. Overdag wordt ze verzorgd door verpleegsters, 's avonds wisselen de kinderen elkaar af.

'Waarom zegt oma niks?', vraag ik aan Nico.

'Dat weten we niet', zegt hij. 'Ze kán nog wel praten, daar ligt het niet aan.'

Na een uurtje ga ik weg. 'Dag oma', zeg ik. Ze kijkt niet op.

De laatste jaren van haar leven woonde oma naast mijn ouders. Ik was toen al de deur uit, maar wanneer ik bij hen op bezoek kwam, in het Zaanse Wormer, zag ik haar 's avonds vaak zitten voor het raam. Steeds met een ander kind tegenover zich. Mijn ooms en tantes keken televisie, lazen de krant, gaven hun moeder eten en drinken en legden haar in bed.

'Het zal vast niet lang duren', zeiden ze in het begin tegen elkaar. Maar tegen alle verwachtingen in bleef oma leven. Acht jaar lang zat ze op haar stoel, voor ze, in 1997, overleed. Al die tijd bleven mijn vader en zijn broers en zussen voor 'moe' zorgen. Dat was 'heel gewoon', zeiden ze. 'Zoiets doe je voor je moeder, ja toch?' Ook onderling spraken mijn ooms en tantes amper over de verzorging van hun moeder. 'Alles gaat goed, ja hoor, prima.'

Ik begreep die zwijgzaamheid niet. Waarom spraken zij zich niet uit? En waarom hield oma haar mond, als ze wel kon praten? Wat ging er schuil achter dat stille, ogenschijnlijk harmonieuze beeld dat avond aan avond in de huiskamer van oma werd geëtaleerd?

Als ik de acht broers en vier zussen bij elkaar zag, kon ik vaak niet geloven dat ze echt familie waren. Tussen de oudste, Jo, geboren in 1934, en de jongste, Guus, die van 1953 is, zat bijna twintig jaar verschil. Ze leken uit andere werelden te komen, mijn keurige tante die graag bij de *Margriet* te rade ging, en mijn ruige, langharige oom die zich in zijn jeugd liet inspireren door Marx en Jim Morrison.

Zo waren er meer intrigerende verschillen. Naast de twee oudste zussen, beide huisvrouw, had je de 'professoren': de serieuze broers die vroeger in de stad studeerden en die op verjaardagen vaak luidruchtig discussieerden over de wereldpolitiek. De 'professoren' hadden op hun beurt weinig gemeen met de 'werkers': de vier broers die van jongs af aan hun vader hielpen in het hoveniersbedrijf – en dat bedrijf vervolgens uitbouwden tot één van de grootste tuincentra van Nederland. En dan had je nog de vrijgevochten 'kleintjes', die van popmuziek hielden en die typische jarenzestigberoepen hadden als socioloog of cultureel werkster.

Mijn oma bracht al die verschillende stemmen weer bij elkaar. Jarenlang waren haar kinderen hun eigen weg gegaan. Nu deelden ze, net als vroeger, weer hetzelfde bed – al eisten sommigen schone lakens.

Ik zag de broers en zussen zitten en wilde weten wat ze dachten, in die stille uren. Wat wisten ze van hun moeder Maria Zachea? Wat wisten ze eigenlijk van elkaar? Hoe keken ze terug op hun gezamenlijke geschiedenis? Waren ze eenzaam geweest in dat grote, katholieke gezin, wat vreesden ze het meest en waar droomden ze stiekem van?

Hun verhaal zou veel méér zijn dan een familievertelling alleen. In de jaren vijftig en zestig veranderden de tijden razendsnel. Je kon, als je het rijtje afging, bij elke volgende broer of zus de maatschappelijke omwentelingen het gezin zien binnendenderen. Het was er allemaal: de armoe na de oorlog, de loodzware handkar en de aanschaf van de eerste brommer, de komst van rock-'n-roll, de invloed van de televisie en het onderwijs, de kinderen die niet meer naar de kerk wilden (en de woedende, orthodoxe vader), de eerste Vietnam-*teach in*, het grote geld en de nieuwe hobby-tuinen, de bevrijding die de pil bracht, de popmuziek, de drugs en 'de ontdekking van jezelf'.

De vraag was of mijn ooms en tantes zich wilden lenen voor deze persoonlijke *oral history*. In elke familie, en zeker in de mijne, is er wel een zwijgen, een opeenstapeling van onuitgesproken gevoeligheden, meningen en herinneringen. Iedereen wringt zich in bochten om de band die familie heet, te bewaren.

Als dochter en nichtje had ik me die kunst van het zwijgen vast ook eigen gemaakt. Maar nu had ik een alibi. Een alibi om de stilte te verbreken. Ik ging een boek schrijven. Een boek waarin ze allemaal, voor het eerst, hun eigen verhaal zouden vertellen, te beginnen bij de oudste en te eindigen bij de jongste. Een boek waarin niets verzonnen zou zijn.

Sommigen aarzelden. 'Mijn moeder wilde altijd alles binnenskamers houden', zeiden ze, 'en nu ligt onze geschiedenis op straat. Ze zou zich omdraaien in haar graf!'

Maar ik had geluk. De meesten durfden het aan. En toen wilden de anderen niet achterblijven. Al was het maar omdat ze dan konden lezen hoe hun broers en zussen erover dachten.

1 Jo [1934]

Het was een onzinnig idee, al had ze dat niet zo tegen Lucie gezegd.

'Moe heeft heimwee, Jo', vertelde haar zus die ochtend door de telefoon. 'Ze moet zo snel mogelijk naar huis.'

'Naar huis?!', had ze uitgeroepen.

'Ja, het gaat niet goed met haar in het ziekenhuis.'

'Maar wat moet ze thuis doen?'

Hun moeder had een paar weken eerder, op 29 december 1988, een hersenbloeding gehad. Ze was nog niet hersteld van de operatie, ze kon amper op haar benen staan.

'Moe vindt het niks om zo lang van huis te zijn', zei Lucie.

'En wat zegt de dokter ervan?'

'De specialist wil haar aan het infuus leggen omdat ze 't verdomt om te eten...'

'Nou dat bedoel ik!'

'...en daar zijn wij het helemaal niet mee eens.'

Dat moest er nog bij komen. Misschien was zij behoudender in die dingen, ze was tenslotte zeventien jaar ouder dan Lucie. Maar het was toch raar om tegen het advies van de dokter in te gaan.

'Jullie lopen véél te hard van stapel', zei ze. 'Kunnen jullie niet wachten tot ze is opgeknapt?'

Maar volgens Lucie ging moe alleen maar achteruit. Ook dat verbaasde Jo. De hersenoperatie was niet goed gelukt, dat wist ze. De chirurg had gesproken over verkalking, complicaties, een bloedvat dat hij slechts 'provisorisch' had kunnen dichten. Maar moe was toch niet opgegeven? Een paar dagen eerder had ze van de fysiotherapeut nog een rek gekregen, zodat ze kon oefenen met lopen.

'Ik neem het niet voor mijn verantwoording', zei ze. 'Moe is tachtig. Zo'n oude, zieke vrouw hoort in het ziekenhuis. En wie gaat er thuis voor moe zorgen? Jij soms?'

'Maak je geen zorgen, Jo', zei Lucie. 'Dat regelen we wel. En het is toch maar voor een paar maanden. Volgens de dokter is moe terminaal.'

Het duizelde haar na het telefoongesprek. De afgelopen weken waren al zo chaotisch verlopen. En nu kwam Lucie met dit idiote voorstel. Wat was er toch met moe? Ze was altijd een gezonde, ferme vrouw geweest, die niet hield van zeuren of moeilijk doen. Maar sinds ze in het ziekenhuis lag, wilde ze niks meer.

'U moet wel wat eten hoor', had ze laatst gezegd toen ze op bezoek was. Maar moe schoof haar bord aan de kant. Ze had toen wat tegen haar zitten kletsen. Vroeger vond moe dat altijd gezellig. Waarom zei ze dan nu bijna niks terug? Ze was toch niet meer in de war, zoals vlak na de operatie. 'Nemen jullie maar een biertje!', had ze toen geroepen naar de verplegers, die ze aanzag voor haar zoons.

'Weet u wat ik denk? Ik denk dat ik dood ga', had moe verteld aan een vrouw die bij haar op zaal lag. Ze moest

vast aan pa denken. Pa had, in 1986, ook een hersenbloeding gehad. En die was na twee weken overleden.

'U gáát niet dood, moe.' Hoe vaak had ze dat al niet
gezegd. 'Als u maar naar de dokter luistert en goed eet
en drinkt.' Maar ook dan keek moe haar glazig aan.

Toen Jo op haar dertigste trouwde, had ze nog lang heimwee gehad naar haar familie. Ze was de oudste van dertien broers en zussen. De jongste was pas tien op het
moment dat zij de deur uit ging. Er gebeurde nog van
alles thuis. De tijden veranderden snel. Maar zij was er
niet meer bij. Voor Jo bleef haar familie een licht ver-
bleekte foto uit de jaren vijftig.

Het rumoer, de gezelligheid, de volstrekte vanzelf-
sprekendheid van alles. Op de paar familieportretten
die uit haar jeugd bewaard waren gebleven, vielen alle
herinneringen op hun plaats.

Op één van die foto's zat het hele gezin in een halve
kring, voor de zware, gesloten gordijnen. Dicht op elkaar,
anders pasten ze er niet op met z'n allen. Sommigen
moesten zich voorover buigen om in de lens te kunnen
kijken. Je hoorde bijna weer hun stemmen.

'Opschuiven, ik zie niks!'

'Oké jongens, lachen!'

'Piet, je haar zit niet goed!'

Het was een van de weinige foto's waar ze allemaal op
stonden. Alleen haar oudste broer Jos ontbrak, die was
er toen al niet meer. Zelf zat ze vooraan. Haar armen
kordaat over elkaar. Alsof ze wilde zeggen: zo, dít is mijn
familie. Hier hoor ik bij. Ze was een jaar of 23 en had
zwart, kort krullend haar, ze droeg een koltrui en een
nette lange rok.

De oudere jongens waren in pak, hadden hun haar
netjes gekamd en keken ernstig. De jongsten lachten

verlegen. Haar vader had de kleine Lucie bij zich, ze leunde tegen zijn knie en had een grote, witte strik in d'r haar. Pa zag er streng uit. Hij was een knappe man. Lang, donkere ogen, een scherpe neus. Moe hield de peuter Guus op schoot. Ze glimlachte en had een vriendelijk, rond gezicht, zachte wangen en bruine krullen.

Er was nog geen spoor te zien van de onmin waarin het gezin later zou leven. De oudsten hadden herinneringen waar de jongsten jaloers op konden zijn.

❖

Ze was in de keuken bezig. In de achterkamer praatte iedereen door elkaar heen. 'Wacht nou even met vertellen!', riep ze. 'Ik wil het ook horen!' Maar het zou wel niet helpen. Zoals altijd ging het geroezemoes gewoon door.

De hele familie was vlak voor het avondeten aan tafel geschoven. Veel ruimte hadden ze niet, ook al was de tafel speciaal voor hen op maat gemaakt. Ze zaten ingeklemd tussen de houtkachel bij de schuifdeuren, waarboven de was te drogen hing, en het bankje voor het achterraam, dat uitkeek op het plaatsje achter het huis. Nu was het donker buiten. Het waaide hard en het regende.

Jos en Maarten, haar oudste broers, waren laat binnengekomen. Omdat er in de buurt van Wormer geen katholiek middelbaar onderwijs was, gingen ze elke dag naar het St. Nicolaaslyceum in Amsterdam. Ze luisterde graag naar hun verhalen over de stad.

Zelf kwam ze niet vaak in Amsterdam. Pa en moe hadden de huishoudschool in Zaandam al te ver weg gevonden. 'Ga jij maar naar de naaischool hier in het dorp', had moe gezegd. 'En als je vijftien bent, kun je mij helpen met het huishouden.' Zo was het gegaan, ook al had ze een bloedhekel aan naaien. Ze deed alles wat pa, moe of de pastoor zei. Januari 1951 was het nu. Ze was net zeventien geworden. Af en toe had ze een baantje in een winkel, of als hulp in de huishouding. Maar meestal was ze thuis.

Zo gauw het eten op tafel stond, bad pa met luide stem voor. De rest zei hem na. Ze konden het heel snel, de meeste woorden slikten ze in. Na het bidden was het stil, de aardappelen, jus en andijvie waren in vijf minuten op.

Pa vertelde dat hij, door het slechte weer, vandaag niks was opgeschoten met zijn werk. Hij was tuinman. Elke ochtend stapte hij al vroeg op de fiets, met een zware mand met gereedschap op zijn rug. Hij knipte de heg van de pastorie, maaide het grasveld bij het huis van de fabrieksdirecteur, plantte bomen in de tuin van de dokter. Maar als het de hele tijd regende, zoals nu, moest hij schuilen en kon hij geen uren schrijven.

Ze bewonderde pa omdat hij zo hard voor hen werkte. 'Als eerst de jongens je vader maar eens gaan helpen', verzuchtte moe vaak. 'Dan krijgen we het beter.' Toch had pa Jos en Maarten naar het lyceum gestuurd. Jos was zelfs de eerste katholieke jongen van Wormer geweest die ging studeren. De mensen in de kerk spraken erover. In het dorp kwamen alleen de protestanten verder dan de lagere school. De katholieken gingen naar het seminarie, de ambachtsschool of gewoon aan het werk. Maar hun Jos reisde elke dag met de trein naar Amsterdam.

'Jo! De bel!', riep moe. 'Hou jij de kleintjes stil?' Nee toch, nog een klant. Zo laat nog. Ze stond net aan de afwas. In de achterkamer was het rumoerig, nu pa even naar ome Jo was gegaan, zijn ongetrouwde broer die in een oude boerderij op de buurt woonde. Piet, Jan en Gerard vertelden elkaar verhalen en hadden de slappe lach. De kleine Frans, Marian en Martien liepen ook nog rond. 'Jongens, kop houden!', riep ze. Ze keek de kleintjes aan en wees op de gesloten schuifdeuren. 'Ssst', siste ze, terwijl ze een vinger voor haar mond hield. 'Er komt iemand wat kopen.'

Vlak na de oorlog had pa de voorkamer verbouwd tot bloemenwinkel. 'Ach joh', had moe gezegd, 'ik heb toch geen tijd om er te zitten.' Maar Jo miste de ruimte wel. Ze zaten er weliswaar alleen op zondag, maar in de zomer, wanneer ze niet beide kamers hoefden te verwarmen, stonden de schuifdeuren vaak open. Het huis leek licht en groot. En nu werden ze met z'n allen opgesloten in de kleine achterkamer, waar de eettafel bijna alle ruimte in beslag nam.

'Ssst Frans!!!' Ze hield haar broertje op schoot. Maar hij wilde rondrennen. Hij begon te huilen. Gerard schoot in de lach, toen hij zag hoe ze met Frans zat te worstelen. 'Hou toch op jullie!', siste ze nog een keer. Martien trapte een balletje weg. 'Waarom luisteren jullie toch nooit naar me?!' Straks zou moe weer klagen dat het niet stil was geweest. 'Ik schaam me zó tegenover de klanten als er lawaai is', zei ze vaak. 'Wat zullen die wel niet van ons denken?'

Het was een zaterdagavond. Om negen uur lagen de meesten in bed. Nu kwam het uurtje waarop ze zich al de hele week verheugde. Moe zette de radio aan en zocht naar het openingslied van het *Negen Heit de Klok*, hun favoriete amusementsprogramma. Het werd uitgezonden door de KRO, dus mochten ze ernaar luisteren van pa. *De Bonte Dinsdagavondtrein* van de AVRO was 'niks voor katholieken als zij'.

Vandaag ging het programma over Amerika. Ze moest

lachen om een sketch over een hongerige Hollander in New York die geen Engels sprak. En ook moe wiegde met haar hoofd mee bij een swingend nummer:

Ga je mee, ga je mee naar Amerika,
Over zee, over zee naar Amerika,
Waar je gaat, waar je staat, rolt het geld over straat,
Waar geen Lieftinck over gaat!

Moe hield erg van muziek. Overdag, wanneer ze het huis door werkten, hadden ze bijna altijd de radio aan. Maar Jos en Maarten lazen onverstoorbaar verder in hun boek. Ook pa luisterde niet echt. Zoals vaker 's avonds, werkte hij aan zijn postzegelverzameling. Die hobby had hij al sinds z'n twaalfde. Pa had zelfs Esperanto geleerd, zodat hij kon corresponderen en ruilen met verzamelaars in het buitenland. Er vielen vaak enveloppen met vreemde, felgekleurde zegels bij hen op de mat.

Na *Negen Heit de Klok* volgde het kerkelijk programma *Wij Luiden de Zondag in*. Ze luisterden stil naar het *Ave Verum* en naar de lange preek van pater Jelsma. Boven was iedereen in diepe rust. Ook van buiten drong geen geluid door. Rond dit uur was er niemand meer op straat.

'Wat praat de pater toch weer mooi hè', zei moe. En Jo knikte.

Ze kende de tijd dat ze nog met weinig waren. Zijzelf, Jos, Toos en Maarten. De geboorte van Toos, in 1937, bleef haar altijd bij, omdat het haar allereerste herinnering was. Drie jaar was ze. Plotseling kwamen er allemaal vreemde mensen in huis om naar het kindje te kijken.

In de oorlog kreeg moe bijna elk jaar een baby. Jan in 1941, Piet in 1942, Nico in 1943 en Gerard in 1945.

Maar daarvan herinnerde Jo zich vrijwel niets. Alleen onbenulligheden drongen zich op. Dat ze Jan zo graag Hansje had willen noemen. En dat Gerard zo'n dikkerd was en iedereen zei: 'Je kunt wel zien dat hij in de hongerwinter is geboren, hij heeft zeker alleen suikerbietenstroop gehad.'

'Jongens, de omes uit Duitsland zijn gekomen', zei pa op een ochtend. Hij probeerde zijn stem gewoon te laten klinken. Maar dat lukte hem niet echt. Het was april 1945.

'Waar, waar?!', riep Maarten, die net zes was geworden.

'In de boerderij van ome Jo', zei pa.

Jo keek naar moe, die brood aan het snijden was in de keuken. Ook haar gezicht stond bezorgd. Maar ze zei verder niks, zoals gewoonlijk.

'We gaan kijken!', zei Maarten.

Ze liep achter haar broertje aan naar buiten. Ook Jos en Toos gingen mee. Eerst durfden ze de stal niet in te gaan. Ze aarzelden, duwden elkaar naar voren. Maar toen zwaaide de deur vanzelf open. Er kwam een Duitse soldaat uit. Hij droeg grote laarzen en lachte. Ze glipten naar binnen. In de stal lagen, op het stro, een stuk of tien mannen. Ze rookten een sigaret, praatten met elkaar.

'*Eh, du!*', zei er eentje. Hij had het tegen haar. Voorzichtig liep ze naar de man toe. De man trok zijn laars uit, liet z'n sok zien. Er zat een groot gat in. Hij deed alsof hij iets tussen duim en wijsvinger vasthield, maakte met z'n hand een vreemde beweging. Wat hij zei, verstond ze niet.

'Hij heeft naald en draad nodig', zei Jos.

Zo snel ze kon rende ze naar huis. 'Moe, moe! Die Duitser heb een gat in z'n sok en ik moet stopgaren hebben, nu meteen.'

De groep soldaten hoorde bij het leger dat op de terugtocht was. Al dagenlang had ze de mannen voorbij zien trekken op de Dorpsstraat, met rammelende paardenkarren en auto's. De omes uit Duitsland waren moe en kwamen uitrusten in de boerderij, had pa gezegd. Jo hing er urenlang rond met haar broertjes. Een van de mannen had een verrekijker. Zoiets hadden ze nog nooit gezien. De belangrijkste Duitser, de Feldwebel, sliep zomaar in ome Jo's bed. En als de mannen zich verveelden, pakten ze hun geweren en schoten ze op de hazen achter in het land.

Alles in de oorlog was spannend. 'Kom je mee, er zijn bommen gevallen in de Badhuisstraat!', riepen de buurtkinderen. En ze renden erheen, om te kijken naar de gaten in de daken.

Bang hoefde ze niet te zijn. Pa zei steeds dat alles goed zou komen. En als pa het zei, dan was het zo. Haar vader was sterk. Midden in de nacht fietste hij naar boerenfamilie van hen in de Spaarndammerpolder, wel twintig kilometer verderop. Ze had hem een paar keer 's ochtends vroeg zien thuiskomen. Onder zijn jas droeg hij een smokkelvest van jutezakken. Die zakken zaten vol met graan, bonen en aardappelen. Zij hoefden niet met een pannetje naar de gaarkeuken om waterdunne soep te halen, zoals andere mensen in het dorp.

Er waren wel erge dingen gebeurd in Wormer. Ze had gehoord dat er een verzetsman op de vlucht was neergeschoten in de sloot bij weverij Koster, vlak bij hun huis. De Duitsers hadden de papierfabriek leeggeroofd, waar zo veel mannen uit het dorp werkten. En op de Zaanweg waren vijf mensen doodgeschoten.

Maar dat gebeurde allemaal bij anderen. Niet bij hen thuis, waar de koeien melk bleven geven en de groentetuin elk jaar weer vol stond met wortelen en andijvie.

Als moe al moeite had om elke dag genoeg eten op tafel te krijgen, dan liet ze dat niet merken. Het enige wat Jo miste, waren nieuwe kleren. Ze durfde zich amper te vertonen in de kerk met het stomme, gebreide mutsje dat bij gebrek aan een leuk hoedje op haar hoofd werd gezet.

Eén keer was ze wel bang. Dat was toen er op een nacht hard werd aangebeld. Ze had met Toos door een kier in de gordijnen naar buiten gekeken. Er stonden Duitse soldaten voor de deur. Ze schenen met lampen naar binnen. Pa had opengedaan. Straks nemen ze hem mee, dacht ze alsmaar, straks nemen ze hem mee en komt hij nooit meer terug, net als de vader van dat meisje op school. Maar ze moesten een ander hebben. 'Waar woont Groen?', riepen ze. Pa zei dat die ergens verderop woonde, hij wist niet waar.

Die nacht had ze nog lang wakker gelegen. Ze wist niet wat ze zou moeten zonder haar vader, met wie ze 's nachts de zwarte hemel afspeurde, op zoek naar een spoor van de Engelse vliegtuigen die overvlogen. 'Nu zal het echt niet lang meer duren', zei pa dan, terwijl hij even in haar arm kneep.

De Duitsers waren net uit de boerderij vertrokken, toen de Canadezen kwamen. 'Ze zijn in Wormerveer!', riepen de mensen. Jo rende met een paar buurtkinderen naar de Zaanweg, waar de troepen voorbij trokken. Er werd gejuicht. Er was chocolade. Zoiets had ze nog nooit geproefd. Sommige oudere meiden sprongen op de wagens en zoenden de soldaten. Ze durfde er niet naar te kijken.

Verder was de bevrijding geen feest. Meisjes als zij moesten spelletjes doen op het voetbalveld. Zaklopen, of met een balletje op een lepel naar de overkant rennen.

Erg bedreven was ze daar niet in. Ze verloor steeds, de andere kinderen lachten haar uit. Ze was blij toen pa zei dat het tijd werd dat ze het gewone leven weer oppakten.

'Meid, jij komt altijd een slag op achter', zei haar moeder. Ze bedoelde te zeggen dat Jo niet zo snel was.

Soms kon ze met verbazing naar moe kijken. Die deed vijf dingen tegelijk en dan bleef ze er nog rustig onder. 's Morgens ging moe als eerste haar bed uit. Ze had geen tijd om d'r haar te kammen of haar gezicht te wassen. Binnen een half uur had ze de tafel gedekt, thee gezet en stapels boterhammen gesmeerd.

Zo handig was zij lang niet. Nooit vergat ze de geboorte van Lucie. Terwijl moe met de baby boven in bed lag, moest zij beneden het huishouden doen. Het leek wel of ze een heel leger moest voeden en verzorgen. Alleen al met het snijden en wassen van vijf kilo andijvie, in een teil met ijskoud water in de schuur, was ze bijna een uur bezig.

'Akela, wij doen ons best!', pestten haar broertjes, die ook wel zagen dat ze er doodnerveus van werd. Intussen bleef moe vanuit haar bed opdrachten geven. Had ze er wel aan gedacht om tien broden te bestellen? Lag de was al op de bleek? Moesten er niet nog groenten worden ingemaakt?

Ze was blij toen moe na tien dagen naar beneden kwam met Lucie op de arm; een mooi meisje dat weinig huilde. En ook haar moeder was zichtbaar opgelucht dat ze zelf weer koffie kon zetten.

Spijt dat ze niet had doorgeleerd, had ze nooit. Ze was het liefst thuis. 's Middags deden moe en zij verstelwerk. Ze luisterden naar de radio, of zaten urenlang te kletsen. 'God kind, wat kan jij kwekken', zei moe dan. Waarover ze het hadden, kon ze zich later niet meer herinneren. Het was de sfeer die haar bijbleef – en die ze nog lang zou missen. Het rumoer, de verhalen, de onuitgesproken verbondenheid. Ze wachtte niet voor niets tot haar dertigste voordat ze het waagde om te trouwen.

❖

Moe was jarig op de dag dat ze uit het ziekenhuis kwam, 10 februari 1989. 's Ochtends was Jo al vroeg naar de Dorpsstraat in Wormer gefietst, waar moe sinds pa's dood in het huis naast Piet woonde, vlak bij het tuincentrum. Het dubbele woonhuis was in de jaren zestig gebouwd op de plek van de oude boerderij van ome Jo. Het beviel moe er goed. Ze had haar oude dag met pa in Heiloo doorgebracht. Maar nu was ze weer terug op de buurt waar ze altijd had gewoond, dicht bij haar kinderen. Alleen Toos was uit de Zaanstreek vertrokken. De anderen woonden allemaal in Wormer, Jisp, Assendelft of Krommenie.

'Wat moet dat bed daar?', zei moe zo gauw ze binnenstapte, ondersteund door Toos en Lucie. 'Wat een gekkigheid.'

'Maar u kunt toch niet meer de trap op, moe?', zei Jo. Moe staarde naar de houten trap, midden in de kamer. 'Oh ja, dat is waar ook', mompelde ze.

Even later zat moe op haar grote stoel voor het raam. Ze dronk koffie, wilde er graag een koekje bij. Vergeefs probeerde ze op te staan om te gaan helpen met de afwas. 'Laat mij dat maar doen, zo klaar.'

Jo wist niet wat ze zag. Misschien hadden haar zussen toch gelijk. Moe voelde zich beter thuis. En de verzorging was door Toos goed geregeld, dat moest ze toegeven. Terwijl zij zelf nog piekerde over hoe het verder moest, had haar zus de Gouden Gids gepakt en particuliere verpleging geregeld voor dag en nacht.

'Ze ziet er goed uit hè?', zei Toos. 'Ze heeft weer een lekkere kleur op haar wangen.'

'Ik heb altijd een goede kleur gehad', zei moe. 'Zelfs op mijn doodsbed zullen ze zeggen dat ik er best uitzie.'

Toos pakte een spiegeltje uit haar tas. 'Hier moe', zei ze, 'dan kunt u het zelf zien.'

'Ja, u ziet er hartstikke hip uit, moe, met dat korte haar', zei Jo.

Toos hield moe het spiegeltje voor. Maar moe staarde naar zichzelf en zei niets. Misschien herkende ze zichzelf niet, dacht Jo. Ze was, vóór de operatie, kaalgeschoren. Haar schedel was bedekt met een wit, pluizig donslaagje.

'U krijgt vast snel uw krullen weer terug', zei Toos.

Moe schudde haar hoofd. 'Het is niks meer met me', zei ze. 'Het is echt helemaal niks meer.'

Wie had bedacht dat ze 's nachts zelf wel voor moe konden zorgen? Al na een week of drie werd besloten dat ze met z'n twaalven om beurten bij moe zouden slapen. Alleen overdag kwam er nog een verpleegster. Vanaf zes uur 's avonds pasten de kinderen op hun moeder.

Jo was er niet over geraadpleegd. Blijkbaar vond iedereen het zo vanzelfsprekend om zelf voor verpleger of verpleegster te gaan spelen, dat overleg niet nodig was. Dat was eigenlijk het vervelendste. Dat iedereen ervan uitging dat ook zij wel mee zou doen.

Niet dat ze niet voor haar moeder wílde zorgen. Ze begreep best dat de particuliere verpleging te duur werd. Maar waarom vroegen ze zich niet af of ze hun moeder wel zelf konden verplegen? Het leek haar nogal griezelig. Moe kon alleen lopen als ze goed werd ondersteund.

Maar ze was zwaar. Straks zou moe midden in de kamer zo uit haar armen glijden. En wat als ze onrustig zou gaan ademhalen. Of iets anders raars kreeg.

Tijdens een van de nachten bij moe, het was zomer 1989, kon ze zoals vaker niet slapen. Ze had het warm, hoorde elk geluid. Het hoesten van moe (het was toch niks ernstigs?), het geblaf van een hond. Ze maakte zich zorgen. Moe was nu bijna een half jaar thuis, maar echt veel beter ging het niet. Ze kon met moeite zelf eten en drinken, het lopen ging steeds slechter.

Meestal hielp Jo's dochter moe in bed te leggen. Er woonde ook een aantal broers op de buurt, maar die vroeg ze liever niet om hulp. Dat was misschien gek: iedereen redde zich het liefst alleen. Alsof ze tegenover elkaar niet wilden toegeven dat de verzorging soms best lastig was. Ze praatten er niet over. Alleen in het logboek dat ze met z'n allen dagelijks bijhielden, werd weleens wat gezegd:

Om kwart voor elf bracht ik moe naar bed. Omdat ze erg nat was, moest ik, terwijl ze op het toilet zat, nog een droog slipje zoeken. Net toen ik weg was viel ze van haar hoge toilet af en liep een schaafwondje aan haar knie op. Verder niets zo te zien, maar het was wel een hele schrik. (Nico, 30 mei 1989)

Ze vond het erg dat haar broers moe moesten aan- en uitkleden. Dat was vrouwenwerk. Zelf had ze er al moeite mee een luier om te krijgen. 'Doe niet zo gek meid', mompelde haar moeder soms, terwijl ze haar benen stijf tegen elkaar kneep.

Hoe zou Guus met moe omgaan? Die was twintig jaar jonger dan zij. Hij kon zo nonchalant zijn. Laatst

nog had de verpleegster geklaagd dat er overal patat-
zakken lagen nadat Guus had opgepast. Ook was er niet
afgewassen. Ze had zich geschaamd toen ze dat hoorde.
Misschien had ze vroeger beter op hem moeten letten. Ze liet het opvoeden altijd graag aan moe over.
Maar als ze nu soms zag hoe slecht gemanierd sommige broers waren, voelde ze zich een beetje schuldig.
Dan vroeg ze zich af of ze haar moeder, die altijd zo
druk was, misschien niet meer had moeten helpen.

Aan de andere kant: Guus was net elf toen zij in 1964
trouwde. Ze had weinig meegemaakt van de jeugd van
de jongsten. En juist in de jaren zestig veranderde er
veel. Ze hoorde wel dat het toen niet meer zo gezellig
was thuis. Pa klaagde soms tegen haar dat de scholen
'communisten' maakten van zijn zonen. Maar het fijne
wist ze er niet van. Ze had er dan snel overheen gepraat.
Het zou niet aardig zijn om haar broers af te vallen.

Maar ze was ook solidair met haar vader. Hij bedoelde
het vast goed. Meestal had ze hem gelijk gegeven, als hij
zich beklaagde. 'Het zijn ook rare tijden, pa', zei ze dan.

Hoe laat zou het zijn? Ze probeerde op haar klokje te
kijken. Moe snurkte beneden. Die had in elk geval geen
zorgen. Wat zou haar moeder overdag denken, als ze zo
stil was? Het was vreemd dat haar moeder de laatste
tijd steeds minder sprak. Ze kón nog wel praten, want af
en toe zei ze een zinnetje. Een enkele opmerking ('meid,
wat heb je het toch druk met me'), een kort antwoord
('ik hoef geen koffie'). Alleen met de verpleegsters
voerde ze soms hele gesprekken, als je het logboek
mocht geloven.

*Mevrouw had een zeer spraakzame ochtend, was vro-
lijk en lacherig. Reageerde praktisch op alle vragen.
Heel gezellig! (verpleegster Toinny, 29 mei 1989)*

Dat was merkwaardig. Bij haar was moe nooit zo prate-
rig. En van haar broers en zussen hoorde ze ook niet
anders dan dat moe zwijgzaam was.

*Ik vind de avond best lang duren anders, ook omdat ik
het altijd meemaak dat moe 's avonds niet veel zegt.
(Lucie, 13 juni 1989)*

Had moe geen zin om te praten? Ze hoorde de kerkklok
vijf uur slaan. Het zou zo licht worden. Ze was altijd
opgelucht als ze de eerste vogel hoorde zingen.

2 Toos [1937]

De eend startte gelukkig, ondanks de ochtendkou. Ze had haast. Om negen uur moest ze bij haar moeder zijn. 'De verpleegster is ziek', had Lucie gezegd door de telefoon. 'Kun jij morgen misschien op moe passen?'

Ze deed het graag. Moest je haar zien gaan. Zij, huisvrouw, moeder van vier bijna volwassen dochters. Nu stond ze ook vast in de ochtendspits, als een echte werkende vrouw.

Bijna twee jaar was moe inmiddels ziek. Ze ging heel langzaam achteruit. Lopen lukte niet meer. Ook eten en drinken kon ze vaak niet meer zelf. Maar moe had geen pijn, voor zover ze kon zien. Haar dagen gingen voorbij met tv kijken, slapen en naar de visite luisteren.

Soms zat ze zo tevreden op d'r stoel. Moe moest er wel van genieten om nog zo dicht bij haar kinderen te zijn. Of zag ze dat weer te mooi? Ze wist best dat ze de neiging had de dingen rooskleuriger voor te stellen dan ze waren. Aan de buitenwereld presenteerde ze haar familie liefst als een hechte, warme clan. Een familie met wie het altijd goed ging en op wie niets viel aan te merken.

Ze parkeerde haar eend voor moe's huis bij het tuincentrum aan de Dorpsstraat. Het was donker binnen.

Wie had er opgepast gisteravond? Vast een broer die het druk had met zijn werk, want hij was al vertrokken. Voorzichtig draaide ze de sleutel om.

'Goedemorgen, moe', zei ze zachtjes. Moe lag in het hoge ziekenhuisbed in de achterkamer. Ze keek Toos met grote ogen aan. Haar lippen mompelden hallo. Ze glimlachte niet.

Het was koud in huis. Moe lag er kil bij. Geen plaid over haar knieën, zoals ze zelf altijd deed. Haar schouders open en bloot. Ze had het al zo vaak in het logboek geschreven: hou ons moeder warm, alsjeblieft. Maar soms leken haar verzoeken aan dovemansoren gericht.

Ze gaf moe thee en pap, depte haar gezicht met een washandje. Moe volgde al haar bewegingen, maar ze zei niets. Over de stoel hing een oude jurk klaar, maar die bracht ze naar boven. In de kast zocht ze een chique, zwarte rok uit. En waar was haar gouden broche? Moe hoefde er toch niet slonzig bij te zitten, nu ze ziek was. Vroeger zag ze er ook altijd keurig uit.

'Kom moe, even uw hoofd hier doorheen.' Moe werd stijf, echt meewerken deed ze niet. Intussen vertelde Toos hoe het met haar dochters ging. Wat moe ervan begreep, wist ze niet. Maar ze deed graag haar eigen verhaal. Soms leek moe bekende kreten te herkennen. 'Als je buikje maar gevuld is, hè.' Dan knikte ze.

Voorzichtig tilde ze moe in de grote stoel, die ze naast het bed had gereden. Wat had Piet dat toch handig bedacht. Haar broer vond het niks om met moe rond te sjouwen en had daarom kort geleden haar luie televisiefauteuil op een verrijdbare pallet laten monteren. Ze konden moe nu als een koningin op haar troon door de kamer rijden.

Zo gauw moe op haar plek voor het raam zat, dommelde ze weg. Snel ruimde ze de bierflesjes op die overal op het aanrecht stonden. Het was gisteravond zeker gezellig geweest. Maarten, Jan, Piet, Nico en Frans woonden in de buurt en kwamen vaak even langs. Als ze het maar niet te laat gemaakt hadden. Soms lieten ze moe zo lang op haar stoel zitten. Dan zakte ze scheef weg, maar niemand die het in de gaten had. Het gebeurde dat moe pas om twaalf uur naar bed ging.

Begin van het jaar had ze nog in het logboek geschreven:

Voor iedereen nog even ter herinnering: als je 82 jaar bent, begint om negen uur de nacht. Op die tijd wil je liever geen bezoekers meer, niet meer bellen of zomaar binnenstappen, geen drukke gesprekken die moe niet kan volgen. Geen televisie, of alleen iets passends, en dan heel zachtjes aan... (Toos, februari 1990)

Maar veel indruk had dat niet gemaakt. Een paar weken later schreef Frans:

Moeder zei: Laat ze zelf om negen uur naar bed gaan, toen Gerard zei dat dat moest van Toos! Leuk hè!

Typisch Gerard. Die maakte graag pesterige, studentikoze opmerkingen. Ze wist bij hem soms niet wat scherts was en wat ernst.

De jongens zouden haar wel tuttig vinden, vanwege alle vermaningen die ze in het logboek schreef. Ze had toch al die naam. Dat ze zo netjes was, zo deftig sprak. En dat ze over iedereen liep te moederen. Maar sommige dingen stoorden haar nu eenmaal. Soms werd moe gewassen zonder dat er een scherm om haar bed stond. Ze lag dan poedelnaakt midden in de kamer. Dat moest moe toch vreselijk vinden? Ze kon zich niet herinneren dat ze haar moeder ooit in badpak had gezien – laat staan bloot.

Gebruik aub altijd het kamerscherm. Dan hebben we het nog niet eens over hoe ze afkoelt. Koude voeten duurt bij haar de hele ochtend. De pantoffels staan ervoor. Ze wacht, dat weten we allemaal, heel lang voor ze een klacht laat horen. (Toos, 14 november 1989)

Moe had zelf altijd alles keurig op orde. 's Morgens riep ze naar boven: 'Piet, kom eruit, je moet kranten bezorgen!' 'Maarten, het regent, neem je regenpak mee!' Ze dacht overal aan, was iedereen een stap voor. 'Laat mij die koffie maar zetten, anders wordt het te sterk.'

Maar nu was moe stil. Nu moest zij haar stem zijn.

Vaak nam ze van huis eigen maaltijden voor moe mee. Juliennesoep, ossobuco, gerechten waar ze voorheen alleen maar van konden dromen. Pa was altijd zo zuinig geweest vroeger. Hoe lang had moe niet moeten wachten voordat ze eindelijk centrale verwarming kregen? Toos hoorde haar nog praten over de 'ijskelders' boven, waar de jongens in de winter onder dekens en leren jassen sliepen.

Toch klaagde moe nooit. Ze hield zich op de vlakte, viel niemand af. Zelfs niet in de tijd dat pa steeds ruzie maakte met de jongste kinderen. 'Wat vind jij er nu van Toos?', had ze soms aarzelend gevraagd. 'Mijn jongens zijn toch zo slecht nog niet?' Meestal sprak ze dan verzoenende woorden, precies zoals moe dat zelf ook altijd deed. 'Pa overdrijft moe. Trekt u het zich niet aan. Laat hem maar tieren. De jongens weten gerust wel wat ze doen.'

Moe opende nu haar ogen. Ze staarde naar buiten. 'Wilt u koffie?', vroeg ze. Moe draaide langzaam haar hoofd om en keek haar aan. Een beetje verbaasd, alsof haar stem van heel ver kwam. 'Goed.'

Ze zei 'goed'! 'Wat gezellig moe, dat u antwoordt', zei ze. 'Dan begrijp ik u tenminste.'

Ze snapte er niets van. Moe kon wekenlang zwijgen. Dan leek ze te verkeren in een wereld waarin niemand haar kon bereiken, stemmen en aanrakingen niet doordrongen. Mijn moeder praat nu echt niet meer, dacht ze dan. Waarom weet ik niet precies, ik moet me er maar mee verzoenen.

'Het is wel makkelijk', zei ze soms lachend tegen haar man. 'Je krijgt nooit commentaar. We kunnen met haar doen wat we willen.' Maar ze had dat nog niet gezegd, of moe bracht haar aan het wankelen.

Laatst nog, toen ze samen aan tafel zaten. 'Zullen we even bidden, moe?', had ze gevraagd. En moe knikte ja en begon, met luide en duidelijke stem: 'Onze vader, die in de hemel zijt...'

Ze had van schrik zelf haar mond gehouden.

'... uw naam worde geheiligd...'

Moe maakte geen enkele fout. Hoe was dat mogelijk? Soms probeerde ze aan moe's gezicht af te lezen wat er in haar omging. Ze kon zo nors kijken. Boos, verdrietig. Misschien was ze wel helemaal niet te spreken over de gang van zaken. 'Loop niet zo aan me te trekken!', had ze geroepen toen ze net ziek was. Moe deed vroeger altijd liefst alles zelf.

Maar stel dat haar moeder van tevoren had geweten wat ze zou moeten doorstaan. Dan nóg zou ze hebben gezegd: 'Goed, als dit huis intact blijft, als al mijn kinderen hier kunnen komen en weer bij elkaar zijn, dan heb ik het ervoor over.' Dat wist Toos heel zeker.

❖

Tante Leen kwam onverwachts naar beneden. Het was al laat op de avond. Alleen Jo en zij waren nog wakker. 'Bid maar voor jullie moeder', zei tante Leen. 'Ze is niet zo jong meer. Bid maar dat alles goed mag gaan.'

Moe lag boven in bed, ze kon elk moment een kind krijgen. Tante Leen hielp de vroedvrouw altijd bij de bevallingen. Meestal zei ze er niet veel over. Het was iets tussen de vrouwen in de slaapkamer; iets geheimzinnigs waar verder niemand over sprak. Maar nu keek haar tante zorgelijk. 'Jullie moeder is ook al 45', mompelde ze toen ze de kamer uit liep. 'En het wordt haar dertiende...'

Toos begreep het niet. Waarom deed tante Leen zo overdreven? Ze maakte hen alleen maar bang. Dat was toch nergens voor nodig. Moe had al zoveel kinderen gehad. Het ging altijd goed. Er kwam er gewoon weer eentje bij. Zoals er bij zoveel gezinnen in de buurt steeds weer eentje bij kwam. Ze haalden er geeneens taart voor in huis.

Het was oktober 1953. Zoals altijd wanneer moe een baby kreeg, waren bijna alle broertjes bij familie ondergebracht. Maar zij was al zestien en samen met Jo thuisgebleven om op de kleine Lucie, Frans en Marian te passen en het huishouden draaiende te houden.

Pa liep op de overloop heen en weer. Die durfde de slaapkamer vast niet binnen te gaan. Of stond hij ook af en toe aan het bed? Jo en zij waagden het niet om zich boven te vertonen. Tante Leen zou hen wel roepen wanneer ze het kindje mochten zien.

'Ik blijf nog even op hoor', zei Jo. 'Nu kan ik toch niet slapen. En we hebben werk zat.' Op tafel lagen kleren die versteld moesten worden. Kapotte jongensbroeken, blouses zonder knopen. Moe vond het belangrijk dat ze er allemaal netjes uitzagen. De mensen in het dorp mochten geen reden hebben om vervelend over hen te kletsen. Zelf legde ze er ook eer in wanneer haar familie goed voor de dag kwam. Na de meisjesschool was ze naar de naaischool gegaan. Ze was trots op haar coupeuse-diploma. Dankzij haar droegen haar broertjes en zusjes mooie jasjes en jurken.

'Zouden jullie niet eens naar bed gaan?' Pa was naar beneden gekomen. 'Straks, we maken eerst dit even af', zei ze. Aan pa's gezicht viel niets af te lezen. Hij schonk een kop thee in en vertrok weer naar boven. Zie je wel. Het zou allemaal goed komen. Haar moeder was zo'n taaie.

Kort geleden, toen ze op een maandagochtend samen de was deden, had moe verteld over háár jeugd. Ze kwam uit Hoogwoud in West-Friesland. Haar vader was timmerman. Twaalf kinderen waren er. Maar vijf gingen er al heel jong dood aan ziektes als de Spaanse griep en de tering. Moe was de oudste, ze moest altijd meehelpen in het familiebedrijf. Doodskisten schuren, de werkplaats aanvegen. Haar vader was zwaar astmatisch. Die stikte zelf bijna in het zaagsel.

Later was ze naar Heiloo verhuisd, waar haar vader een kippenhouderij begon, vlak bij het genadeoord van Maria. Maar veel zegen had dat niet gegeven. De kippen brachten geen cent op. Op haar veertiende moest moe ergens in de huishouding gaan werken, als meisje voor dag en nacht. Van haar eerste geld kocht ze een fiets, want het was een uur lopen van haar dienstje naar huis.

Toen moe dat allemaal vertelde, had ze beter begrepen waar al die uitspraken van haar vandaan kwamen. 'Niet zeuren, aanpakken.' 'Alles zal vanzelf weer overgaan.' 'Wees blij met wat je hebt.'

Het liep inmiddels tegen elven. Het duurde nu wel erg lang. Ze hoopte dat het een meisje werd. Lucie was ook zo'n lief grietje. Zo wilde ze er nog wel een.

Er kwam van boven geen geluid.

Ze zouden het druk krijgen met het nieuwe kind.

Maar ze ging echt niet met de baby wandelen, zoals andere meisjes in het dorp wel deden met hun broertjes en zusjes. Soms zag ze hen op de Dorpsstraat voorbij gaan met de kinderwagen. De meisjes hadden hun poppen ingeruild voor de baby's van hun moeders. Ze moest er niet aan denken.

Als de nieuwste baby huilde, in z'n wieg in de kamer, gingen ze er met een paar boven hangen en gekke bekken trekken. Hielp dat niet en was het mooi weer, dan zetten ze hem buiten in de tuin. Baby's keken graag naar blaadjes die ritselden in de wind. En anders huilden ze zichzelf wel in slaap. Ze hadden geen tijd om urenlang met ze te spelen of te knuffelen. Soms hield moe de kleintjes even op schoot. Maar wanneer ze haar handen vrij wilde hebben, bond ze hen met een touw vast aan de boom op het pleintje achter het huis. Ze kregen een autootje of een pop en moesten zich zelf maar zien te vermaken.

Nu hoorde ze het. Het gehuil van een baby.

'Psss… Jo, Toos.' Tante Leen keek om het hoekje van de deur. 'Jullie hebben een broertje.' Snel liep ze met Jo de trap op. In de slaapkamer was het koud; er was geen kachel. Moe had haar ogen dicht, ze leek te slapen. Naast haar, in het wiegje, lag een jongetje met een grote bos zwart haar.

'Alles weer goed en gezond', zei tante Leen.

'Heet ie Hansje?', vroeg Jo. Die wilde al sinds de oorlog dat pa en moe een broertje Hansje zouden noemen.

'Hij heet gewoon Guus', zei pa.

Voortaan waren ze met z'n vijftienen. Ze moesten opnieuw inschikken. Al hadden ze gelukkig meer ruimte dan vroeger. Eind 1951 was er een nieuwe vleugel aan het huis gebouwd, waar de bloemenwinkel in werd ondergebracht. Ze hoefden niet meer met z'n allen te bivakkeren rond de eettafel.

Toos was erg ingenomen geweest met de verbouwing. Haar vader mocht maar een eenvoudige tuinman zijn: de familie leek in een keer in goeden doen. De winkel in de aanbouw had stellages, een werkbank en stromend water. Op de bovenverdieping kwam een douche, zodat ze niet langer met emmers de trap op hoefden om zich te wassen. En haar ooms konden nu, heel chic, op zondagochtend in de voorkamer dikke sigaren roken.

De tijden werden nog beter, toen pa in 1954 Jan in het bedrijf nam. Wat Jan daar zelf van vond, wist ze niet, maar zo werd het gezegd. Pa 'nam' Jan in de zaak. Jan, de broer die op Maarten volgde, was pas een jochie van dertien. Maar hij fietste voortaan elke ochtend met een zware mand op zijn rug naar zijn werk. Niet veel later ging ook Piet met pa mee, het broertje dat één jaar jonger was dan Jan.

Ze keek hen vaak trots na, als ze 's ochtends vroeg wegreden. De 'werkers', zoals moe Jan en Piet noemde, zouden het hele gezin vooruit helpen.

Elke avond bracht ze thee bij Jos en Maarten, die in de koude voorkamer zaten te studeren. Meestal keken de jongens verstoord op wanneer ze met de schuifdeuren rammelde en de thee op tafel zette. 'We zitten te wérken, Toos.' Maar ze bleef graag even. Ze hield van de sfeer. De stilte, de stapels boeken voor Grieks, Latijn, Frans, het geritsel van papier.

'Ga toch naar de mulo, Toos', had de hoofdzuster van de meisjesschool tegen haar gezegd. 'Je kunt het zeker.' Maar er ging geen enkel meisje van haar klas naar de mulo. Ze had er thuis niet over durven beginnen.

Achttien was ze nu. Sinds een jaar werkte ze op het naai-atelier van een woninginrichtingbedrijf in Amsterdam, waar ze de hele dag vitrages in elkaar zette. Het was leuk om collega's te hebben met wie ze in de stad kon lunchen, maar ze had liever gestudeerd.

Jo leek het niet erg te vinden dat ze niet had doorgeleerd. Die was heel anders dan zij. Aan tafel kon Jo eindeloos zitten kletsen. Ze lachte snel, fladderde vrolijk met alle winden mee. Zelf was zij veel bedachtzamer. Ze voelde zich ook eerder verantwoordelijk. Ging het wel goed met Marian, die door de jongens werd gepest? En hadden Jos en Maarten het niet moeilijk op het lyceum, als boerenjongens tussen stadse types?

Al zou ze zulke vragen nooit uitspreken.

'Toe Maarten, leen me je *Deutsche Wortschatz*', zei ze, toen ze weer eens thee kwam brengen. 'Ik wil ook Duits leren.'

'Nee, die heb ik nodig vanavond.'

'Morgen dan, overdag?'

Tussen de bedrijven door leerde ze de hele *Deutsche Wortschatz* uit haar hoofd. Daar had ze later nog veel profijt van, als moeder op de avondhavo.

Misschien was het al in die tijd dat ze zichzelf eraan wende om netjes te praten. Ze had veel gevoel voor taal en het stoorde haar wanneer familieleden kennen zeiden in plaats van kunnen en beessie in plaats van beestje. Ook kreeg ze een hekel aan de lijzige, Zaanse manier van spreken. Nou mááááííd, je mééént het. Dat zou je haar nooit horen zeggen.

Ze kon niet slapen. Op de overloop hoorde ze haar vader heen en weer lopen. Hij wachtte zeker op Jan en Piet, die op zondagavond altijd gingen dansen. Ze keek op haar klokje. Het was één uur. Pa zou wel razend zijn.

Vroeger kon pa uitbundig doen. Ze herinnerde zich hoe hij moe soms balorig op schoot trok. 'Toe Marie, kom eens bij me.' Meestal duwde moe hem zachtjes van zich af. 'Doe niet zo gek, Tinus, hou je handen thuis.' En dan lachte pa. Ook op zondagochtend, wanneer hij met de ooms debatteerde over de wereldpolitiek, was haar vader altijd in een goed humeur geweest. Hij dronk een jenevertje en voerde het hoogste woord, maar zo vrolijk was hij bijna nooit meer.

Laatst had ze bloemstukken gemaakt voor het Heilig-Hartfeest in de Maria Magdalenakerk in het dorp. De hele zaterdag stond ze in het winkeltje in de aanbouw te werken. Ze had witte anjers en rode rozen gebruikt. Het werden prachtige stukken. De mensen in de kerk zouden vast zeggen: 'Heb je die bloemen van Koelemeijer gezien, wie heeft die stukken gemaakt?' Ze zong liedjes van de radio. Tot haar vader binnenkwam. 'Maak die bloemen toch niet zo kort', zei hij. 'Je verknoeit ze, zie je dat niet!'

Nog steeds liep pa te ijsberen. Ze glipte haar bed uit.

'Ga toch slapen pa, hou alstublieft op met die flauwekul. Die jongens genieten', zei ze.

Haar vader keek haar boos aan en verdween zonder wat te zeggen in zijn slaapkamer. Een uur later hoorde ze Jan en Piet via het dak van de schuur naar binnen klimmen. Pa stond op de overloop en siste 'dat ze morgen toch niet konden werken zo'.

Ze wist zeker: voor haar vader had ze nooit gedaan wat ze later voor haar moeder had overgehad.

'Hé, Toos', riep Martien, 'had die gozer van vorige week toch niet de goede kuif? Dat viel zeker tegen de volgende dag, toen z'n haar weer plat zat!'

'Of droeg hij soms een combinatiepak, Toos', zei Piet. 'Paste z'n jasje niet bij z'n broek? Dat vind jij niet deftig zeker?'

Het was zondagochtend, ze waren naar de kerk geweest en dronken met z'n allen koffie. De jongens zeurden weer eens over de verkeringen van Jo en haarzelf. 'Ach, hou toch op', zei ze. 'Jullie weten er niks van.'

'Je bent anders al 22', riep Jan. 'En Jo is 25. Moeten jullie niet eens trouwen? Bij Ruijter zijn die meiden allang het huis uit.'

'Ze wachten zeker op een man met een wit boordje', zei Martien.

Ze liep naar de keuken om verse koffie te zetten. Het ergerde haar, al die aandacht. Ze had nog niet een keer gefietst met een manspersoon, of haar broers dachten al dat ze verkering had.

'Neem toch weer eens iemand mee naar huis', jende Gerard in de kamer. 'Dan kunnen we kijken of ie slootje kan springen.'

'Dat was een bak, hè', lachte Piet. 'Wat een sul was die Cor!'

Ze hadden het over de ex van Jo. De jongens hadden hem op een zondagochtend uitgedaagd. 'Zo'n stadse jongen als jij kan vast geen slootje springen', riepen ze. 'En je hebt nog wel zulke lange benen.' Dat liet Cor niet op zich zitten. Hij was naar het weiland achter het huis gelopen, met een grote groep familieleden in z'n kielzog.

Toos had niet durven kijken, toen hij een aanloop nam. De broers lieten Cor in een bocht springen. De grond was er nat en zacht. Hij had geen schijn van kans. 'Niet doen!', gilde Jo nog. Maar toen was het al te laat. Het spoor van modder dat Cor achterliet op het erf was nog wekenlang te zien.

'Toos is een stoplicht', pestten de jongens haar. 'Bij jou is het aan-uit-aan-uit', zei Piet, het broertje dat haar lief was omdat hij zich altijd zo goed kleedde. Alsof ze zo'n meid was die er aan elke vinger een had.

In de danszaal stond ze soms doodsangsten uit als ze stil op haar stoel aan de kant zat. Daar had je die jongen van vorige keer weer, met wie ze zo leuk gedanst had. Zou hij haar misschien vragen? Of zou ze hier de hele avond blijven zitten, stilletjes genietend van Glenn Miller en haar favoriete Zaanse jazz-bandje De Micro- solisten. En als hij haar vroeg, wat moest ze dan zeggen. Vorige keer was het best goed gegaan, maar zou hij niet vreselijk afknappen als ze nu zwijgend in zijn armen lag? En wat daarna, als ze moest beslissen of hij haar naar huis mocht brengen, of ze met 'm wilde fietsen, of hij haar mocht zoenen, waar hij haar mocht aanraken.

Bij toeval had ze in de dressoirkast, achter een rij tijdschriften, een boekje gevonden dat *Groeiend Leven* heette. Maar veel wijzer werd ze daar niet van. Het was een dun boekje met een paar onduidelijke tekeningen. In omzichtige bewoordingen werd uitgelegd wat een net katholiek meisje na haar huwelijk wél, maar voor die tijd absoluut niet mocht doen.

Ze moest altijd op haar hoede zijn. Niet te veel drin- ken als ze uit was, niet te gepassioneerd zoenen in de broeikas. Gelukkig trof ze meestal nette jongens. De schande lag overal op de loer.

Jo en zij sliepen samen op één kamer. 's Avonds, in bed, praatten ze urenlang over de jongens die ze hadden ontmoet. 'Is hij wel van het houtje?', fluisterde Jo dan. Ze konden niet met een niet-katholieke jongen thuis- komen. Iederéén met wie zij omgingen was katholiek. Heel hun leven was gericht op de oostkant van het dorp, waar de meeste roomsen woonden en waar ook het

Verenigingsgebouw, de Maria Magdalenakerk, de St. Jozefschool en de Mariaschool stonden.

Ze hield van het theater van de katholieke liturgie. De plechtige sfeer van de hoogmis, de jaarlijkse, bonte processies van de Wormerse toneel- en middenstandsverenigingen door de kerk, de liederen van het Kerstfeest. Ze kon zich niet goed voorstellen dat ze verliefd zou worden op een jongen die dat allemaal niet kende.

Soms klaagde Jo dat hun keuze beperkt was. Ze dansten bijna altijd in katholieke gelegenheden, waar ze steeds dezelfde jongens tegenkwamen. 'Zo kom ik natuurlijk nooit aan de man', zei Jo dan. Maar ze waren misschien ook erg kritisch. Al een paar keer hadden ze hun verkeringen uitgemaakt.

'Die boer was toch een toffe gozer, Jo!', had Gerard eens gezegd. 'Waarom zet je die nou weer aan de kant?'

'Ik kan toch wel wat anders krijgen', zei Jo toen. En dat was waar. Ze zagen er goed uit met hun hoge dotten en modieuze jurken. Er hadden genoeg jongens belangstelling voor hen. Ze waren zélf alleen niet in iedereen geïnteresseerd. 'Heeft hij een vaste baan?', vroeg moe meteen wanneer ze verkering hadden. 'Op een kantoor misschien?' Moe zag hen liefst thuiskomen met een man die zijn geld niet in de prut met zijn handen hoefde te verdienen. 'Je moet natuurlijk van hem houden', zei moe er altijd bij. Maar minstens zo belangrijk was wat hij deed voor de kost. Ze mochten dan niet naar school gaan: ze moesten wel vooruit in het leven.

Als Toos een dienstje had bij rijke mevrouwen in de Zaanstreek, keek ze tijdens het stoffen en poetsen goed om zich heen. Vaak probeerde ze ook hun eigen, sober ingerichte huis wat meer allure te geven. Ze zette foto's op de schoorsteenmantel, of maakte een zitje in de achterkamer, net voor de schuifdeuren.

'Ga toch weg met je getut!', riep moe als ze dat zag. 'Mijn was hangt boven de kachel te druipen, al mijn foto's gaan eraan zo.'

'Het is toch mooier zo moe', probeerde ze.

Maar moe wilde er niks van weten. 'Ik struikel over dat zitje van jou.'

Jo moest er ook om lachen. 'Het is hier toch al hartstikke gezellig', zei ze. Maar Toos bleef stiekem dromen van luxe fauteuils, van een mooi servies dat niet, zoals bij hen, bestond uit twaalf verschillende borden – en van een man die haar dat allemaal zou kunnen geven.

Ze had, net als Jo, geen haast. 'Heb jij al zin om meteen weer met een baby te zitten?', fluisterde ze 's avonds in het donker tegen haar zus.

'Welnee', zei Jo, 'hou op zeg. We zijn net uit de luiers van Guus.'

Maarten en Jos gingen bijna nooit uit. Die droegen een pak en een bril en hielden niet, zoals Jan en Piet, van de boerenkermissen in de streek. Soms hoorde ze hen in de voorkamer discussiëren over Plato en andere filosofen. Jos zou, nadat hij in militaire dienst was geweest, klassieke talen gaan studeren aan de universiteit in Amsterdam. Hij was hun belofte, zei pa. Hun belofte voor de toekomst.

Het verschrikkelijke gebeurde op dinsdag 10 januari 1956. Toos was negentien en toevallig thuis die dag. Rond een uur of twaalf wilde ze de tafel gaan dekken voor het eten. Iedereen was nog op school of aan het werk.

De bel ging. Toch geen klant, dacht ze nog. Maar het was kapelaan Stam. Hij keek ernstig. Of hij even binnen mocht komen.

'Moe, de kapelaan!'

Moe kwam van boven, waar ze Guus in bed had gelegd. Kapelaan Stam vroeg of hij even mocht gaan zitten. Hij was nerveus.

'Het gaat om uw zoon, Jos. Ik werd net gebeld, door een hoge militair. Jos is...'

Het was even stil. De kapelaan zocht naar woorden. 'Uw oudste zoon Jos is vanmorgen in militaire dienst overleden, tijdens de honderdmeterloop. Hij zakte bij de finish in elkaar, het is niet gelukt hem te reanimeren.'

Moe keek de kapelaan ongelovig aan. 'Jos?'

De kapelaan zei niets.

'Dat kán helemaal niet', zei moe. 'Zondag was hij nog thuis, gezond en wel. Het moet een vergissing zijn, ze hebben vast de namen verwisseld.'

'Het is toch echt...'

'Het kán niet kapelaan', zei moe weer, 'onze Jos is nog nooit ziek geweest, hij kan toch niet zomaar dood neervallen?'

Toos liep weg. Ze ging haar vader zoeken, die moest ergens in het dorp aan het werk zijn. In de gang hoorde ze moe nog zeggen: 'Het kan niet kapelaan, het is niet mogelijk, het is een vergissing...' Maar toen ze de deur achter zich dichttrok, was het stil.

Haar broer Jos, haar lieve, wijze, één jaar oudere broer, die altijd alle kinderen op het erf een even dikke plak koolraap gaf. Haar broer, haar verlegen, dikkige en wat onhandige grote broer, op wie zij zo trots was als hij thuiskwam in zijn stoere soldatenpak. Haar broer was dood. Hij werd opgebaard in de voorkamer en het hele huis stonk naar het geïmpregneerde hout van de kist.

Ze was razend, ze had het uit willen schreeuwen, ze had willen vloeken, stampen. Maar als de tranen kwamen, rende ze snel naar boven of naar de wc, want huilen deed verder niemand thuis.

3 Maarten [1939]

De wereld was wit en wazig en alles klonk anders, zachter. Hij was de tuin in gelopen. Het werd al donker. Hoe lang hij in de sneeuw stond, wist hij niet. Hij had er geen erg in dat hij het koud kreeg.

'Jos is dood', had moe gezegd toen hij in de namiddag thuiskwam uit school. 'Hij moest honderd meter hard lopen en zakte aan het end zomaar in elkaar.' Ze zei het rustig. Misschien kon ze het niet geloven.

In het weekeinde was Jos thuis geweest. Ze hadden nog gedamd samen. Zondagavond was hij vertrokken, in zijn stoere legeruniform, met een stuk kaas van moe in zijn tas. En nu was hij er niet meer. Er was iets onvoorstelbaars gebeurd in Kampen, een plaats waar Maarten nog nooit was geweest en die hem oneindig ver weg leek.

'De bollebozen', noemden ze Jos en hem op school. Ze waren samen anders dan de rest, slimme boerenjongens te midden van rijkeluiszonen. Elke avond zaten ze te studeren in de voorkamer. Jos was drie jaar ouder en wist alles eerder. Je mocht hem vragen wat je wilde. Hij was goed en eerlijk. Als ze een damcompetitie hadden op de buurt moest Jos de stand bijhouden, want iedereen wist dat hij je niet zou belazeren.

Het was een heldere avond. Hij wist niet of hij moest huilen, hij wist niet wat hij moest doen. Altijd had hij het gevoel gehad dat hij achter Jos aan kwam, als tweede man bijna. Maar nu was hij van de ene op de andere dag eerste.

Die nacht, toen iedereen sliep, zat pa urenlang naast de kist van Jos in de voorkamer. Hij had z'n vader nog nooit verdrietig gezien. Maar nu zat pa daar in stilte. Alsof hij bang was zijn oudste zoon alleen te laten.

'Een veel, zeer veel belovend leven ging heen', sprak maandagmorgen een bewogen legeraalmoezenier tot een grote luisterende schare die de plechtige Requiemmis bijwoonde van Jos Koelemeijer, een jongeman uit Wormer, oudste zoon van een gezin van dertien kinderen.

Zo schreef een regionale krant op 17 januari 1956.

Jos Koelemeijer, die juist zijn einddiploma van het St. Nicolaaslyceum had behaald en zich opmaakte voor zijn universitaire studie in de oude talen.
'Een echt wetenschapsmens', had een van zijn oude onderwijzers uit Wormer van Jos gezegd, een jongeman die de steun en toeverlaat was geweest van zijn broertjes en zusjes.
Op ontroerende wijze schetste legeraalmoezenier Büters het karakter van de overledene, die steeds voor zijn Schepper bereid stond.
De rouwplechtigheden waren aangrijpend, mede door de voorbeeldige tucht van de zeer vele militairen, onder wie zich vele niet-katholieken bevonden. Acht vrienden uit zijn klas van 35 man, die ook geheel was opge-

komen, fungeerden als slippendragers. Drie grote kransen werden door militairen gedragen en velen werd het week om het hart toen ze stoere soldaten met een witte tuil bloemen zagen lopen.

De belangstelling op het kerkhof was zo mogelijk nog groter dan in de kerk. Op de tocht van het sterfhuis naar de parochiekerk, toen de compagnie in monotone cadans met de lijkbaar in het midden, langzaam voortschreed, groeide de stoet aan door de meelopende dorpelingen, en op het kerkhof stond één compacte massa.

De bevelvoerende officier, de kapitein Beekman, had alles zo stipt georganiseerd, dat de gehele ceremonie protocollaire voortreffelijk paste in het liturgisch geheel. Na de plechtige absoute verricht door legeraalmoezenier Büters wederom met assistentie van de rector van het St. Nicolaaslyceum uit Amsterdam, aalmoezenier Cools uit Amsterdam en kapelaan Stam, werd plechtig door pijpers tamboers en muziekcorps van de Huzaren van Boreel het Wilhelmus gespeeld. De dragers lieten daarop de kist met het stoffelijk overschot in de groeve neer. De dodenmars werd gespeeld, waarvan de trieste klanken verwaaiden over de velden en weerklonken tot in de verre uithoeken van Wormer. Toen trad het vuurpeloton aan. Gedempt klonken de korte bevelen, dan weerklonk een salvo: de man die altaar, land en haard diende als een oprecht christen, rustte in gewijde grond.

Een laatste groet van zijn mannen weerklonk in 'De Laatste Post', stram en stijf stonden de militairen in de houding. Tranen vielen en gebeden werden gepreveld. De laatste toon verstomde en toen defileerden, na de familie, alle manschappen langs de groeve om afscheid te nemen van een goede kameraad.

Onder hen bevonden zich de 1e luitenant Sassen, com-
mandant en kapitein J.A.M. Mutsaerts, tal van officie-
ren van het 2e C.O.A.C. uit Kampen, leraren van het
St. Nicolaaslyceum, burgemeester en mevrouw Loggers,
de heer H.A.J. Roels, leidinggevend figuur van het dis-
trict van het Katholiek Thuisfront, dat met een dele-
gatie aanwezig was, en wethouder Kenter, die met een
kort woord dankte voor het grootse eerbetoon.

Ze hadden Maarten gevraagd of hij een dankwoord wilde spreken. Maar hij kon het niet. Zijn keel zat dicht.
Hij had ook weinig op met het militaire vertoon. Stilte
had beter bij Jos gepast dan het geluid van soldatenlaar-
zen en geweren.

Moe vond de begrafenis met militaire eer ook maar
een hoop drukte, vermoedde hij. Al zei ze dat niet. Ze
volgde, zoals altijd. Ze volgde haar man. En pa vond het
mooi; een groots eerbetoon dat zijn oudste zoon toe-
kwam. Het maakte indruk in het dorp, er werd uitgebreid over geschreven in de krant.

Het leger verzorgde een fotoreportage van de ceremonie. Pa koesterde het aandenken, een klein album
met een bruine kaft dat jarenlang op een vaste plek in
de kast stond, naast het boek over de watersnoodramp
in Zeeland. De jongeren in het gezin keken er vaak in –
op zoek naar de broer die ze amper hadden gekend.

Maarten vond weinig troost in het album. Er was één
portret van Jos zelf, een serieuze, twintigjarige jongeman in soldatenuniform met een rond gezicht, donkere
ogen en een stevige, zwarte bril. Ook waren er twee
groepsfoto's uit zijn diensttijd bewaard gebleven, waarop zijn kameraden rookten en lachten en Jos wat sullig
op de achterste rij stond, zijn helm stevig vastgesnoerd
onder zijn kin.

Op de rest van de foto's was hij dood. Je zag soldaten door het dorp marcheren met geweren over de schouder, gadegeslagen door slecht geklede kinderen op klompen. Als je goed keek, zag je achter hen nog net de militairen die de kist droegen. Je zag de soldaten de kerk ingaan, in stramme rijen van twee. Je zag de priester op de begraafplaats, hij werd geflankeerd door twee misdienaars met kandelaars en droeg zelf een kruis dat dreigend afstak tegen de donkere hemel. Je zag de muziekkapel tussen eenvoudige witte grafkruisen staan, ze bliezen een lied, maar welk? Je zag de soldaten naast het graf hun salvo afvuren. En je zag de kist in de aarde, met daarboven, op een plank, een grafstuk met een lint waarop nog net het woord commandant viel te onderscheiden.

Jos deed altijd mee met voetballen, ze hadden nog nooit wat vreemds aan hem gemerkt. De sectie bood ook geen opheldering. Jos moest een hartstilstand hebben gehad, maar hij had geen zwak hart.

Soms, wanneer Maarten alleen in het tweepersoonsbed lag dat hij voorheen met zijn broer deelde, vroeg hij zich af hoe Jos zich had gevoeld voor hij wegsprintte. Misschien was hij niet lekker. Moe, misselijk. Had hij dat moeten zeggen. In bed moeten blijven.

Maar Jos durfde natuurlijk z'n mond niet te doen. 'Niet zeuren', zou hij wel gedacht hebben.

'Jongen, ga niet de tuin in, dan is je kostje gekocht', zei moe. Z'n vader stond vaak te ploeteren in regen en wind. Hij was nooit zeker van zijn inkomen. Je kon beter een vaste baan hebben, vond moe. Net als hun buurman ome Lau Ruijter, die voorman was bij de fabriek Cacao de Zaan.

Maarten voelde zich uitverkoren dat hij in 1951 naar het gymnasium mocht, net als Jos. Tot zijn twaalfde was hij nog amper het dorp uit geweest. Nu ging hij elke dag naar het St. Nicolaaslyceum, waar hij in de klas zat met zonen van journalisten, musici en advocaten. Zulke beroepen kwamen in Wormer al helemaal niet voor.

Het was pa's idee geweest om Jos naar school in Amsterdam te sturen. De hoofdmeester van de lagere jongensschool, meester Kamp, had zich afgevraagd of het wel nodig was om 'die jongen elke dag naar de stad te laten gaan'. Zou het niet veel te duur zijn? Pa had gezegd dat het een offer was. Hij kon een extra man in zijn bedrijf goed gebruiken. Maar hij wilde dat zijn zonen het net zo goed zouden krijgen als de geleerde mannen bij wie hij de tuin aanharkte.

Op een dag in 1949, zo had pa aan Maarten verteld, was hij in zijn zondagse pak naar het Ignatiuscollege aan de Hobbemakade in Amsterdam gegaan. 'Dat is een vooraanstaand katholiek gymnasium', had kapelaan Reus uit Wormer gezegd. Pa was erg onder de indruk geweest van het statige gebouw van de paters jezuïeten. 'Ad majorem Dei gloriam', stond geschreven op een gevel van de binnenplaats, 'tot meerdere glorie van God'.

Over het gesprek dat hij er had, was pa altijd kort. 'Er was geen plaats op die school', zei hij. 'Daarom is Jos naar het St. Nicolaaslyceum gegaan.'

Maar Maarten geloofde dat niet. 'Wat zei die pater dan?', had hij weleens aan pa gevraagd. 'Waarom was er geen plek?'

'Nou, hij vroeg eerst waar ik vandaan kwam', zei pa. 'Ik vertelde dat ik in Wormer woonde.'

'En toen?'

'Die pater vroeg zich af waar het lag. "Is dat niet dat

dorp van boeren en arbeiders in de Zaanstreek?", vroeg ie.'

'En nadat hij dat had gehoord, was de school plotseling vol?'

'Ja,' zei pa, 'de pater vertelde toen over het St. Nicolaaslyceum in de Spaarndammerbuurt in West, dat net door de Paters van het Heilig Hart was opgericht. Hij was erg vriendelijk. Ik herinner me dat hij zei: "Uw zoon zal zich bij de volkspaters ook vast beter thuis voelen."'

De meeste mannen in Wormer werkten in de fabrieken langs de Zaan of in de 'Eendracht', de papierfabriek van de firma Van Gelder Zonen aan het Zaandammerpad. Elke dag om twaalf uur klonk de fabrieksfluit, waarna je de arbeiders in hun werkpakken naar huis zag fietsen.

Maarten hield van het dorp, een langgerekt lint van huizen in de weilanden, met aan de ene kant een meer, het Zwet, en aan de andere kant grasland en sloten tot zo ver als je kijken kon, wel bijna tot aan Amsterdam. Vaak liep hij het land achter hun huis in, waar hij nesten zocht, naar de vogels keek, of zomaar wat in de verte staarde.

Als kind speelde hij meestal op het eigen, grote familie-erf, waar de tuinen aan de achterkant in elkaar overliepen. Je had er bomen om hutten in te bouwen, een hooiberg, schuren en zolders met oude klompen, fietsen en andere rotzooi, een boomgaard, sloten om in te vissen en bovenal: altijd iemand om mee te spelen.

Naast hen woonde de familie Ruijter: de zus van pa, haar man en negen kinderen. Ze deelden de steeg en het pleintje achter de huizen, waarop ze voetbalden en knikkerden. Achter dat pleintje had je de groentetuin, die door een sloot en grote wilgenbomen werd gescheiden van het 'kalfjesland', zoals ze het graslandje voor het jonge vee noemden. Hier lag ook de boomgaard, waar appel-, peren- en andere vruchtbomen stonden. En daarachter begon het hooiland van ome Jo, de ongetrouwde broer van pa. Een weiland dat ver de polder inliep, tot aan de Ringvaart en de ijzeren molen.

De familie Ruijter deelde een dubbel woonhuis met ome Jan en tante Leen, de broer van pa en zijn vrouw. Om redenen waar niemand over sprak hadden zij geen kinderen. Ome Jan had ook als enige een schutting om zijn erf staan.

Een smal paadje liep naar de aangrenzende, vervallen stolpboerderij van ome Jo. De voordeur zat altijd op slot, je kon alleen bij hem binnenkomen via de donkere koeienstal. Ome Jo woonde in zijn keuken en in een klein opkamertje, de mooie kamer gebruikte hij zelden. In de boerderij struikelde je over de kranten, klompen, onderdelen van fietsen en andere spullen waarvan ome Jo zei dat hij er 'vast nog weleens iets mee kon doen'. Ook op het erf, waar nog een broeikas en een gammele tufstenen schuur stonden, was het rommelig. Hun oom trok zich niks aan van wat de mensen van hem dachten. Hij kleedde zich slordig, maaide het gras ook op zondag en kwam altijd te laat in de kerk. 'Joppel', werd ome Jo genoemd. En zij, van Koelemeijer, waren de 'Joppeltjes'.

Ze waren anders dan andere families in het dorp. Ze hoorden bij Joppel, die rare kerel. Hun vader had geen vaste fabrieksdiensten en vrije tijd. Ze zaten ook niet op de katholieke voetbalclub wsv, zoals andere jongens op school. Niemand kon wat zij wel konden: hooien, slootje springen, een kalf uit een koe trekken.

'Amsterdam is een oord van verderf, jongen', had meester Kamp gewaarschuwd. 'Als je langs een bioscoop loopt, moet je je ogen dichtdoen.'

Het stonk in de stad. Benauwd was het er, bedompt. Wanneer hij langs een haringkar liep, kneep hij zijn neus dicht. Maar z'n ogen hield hij open.

'Jos, zie je dat, daar hangt *De Waarheid*!' Het was in 1953. Ze passeerden het kantoor van de CPN op de Haarlemmerdijk. Aan de muur hing de krant die ze niet mochten lezen.

'Dat is communistische propaganda, man', zei Jos.

'We kunnen toch wel even kijken. Ik wil weten wat voor leugens erin staan.'

Het hart bonkte in z'n keel. Hij las gretig de koppen, maar het nieuws drong niet echt tot hem door. Het was alsof zijn vader over zijn schouder mee keek. Hij voelde zich net zo ongemakkelijk als die ene keer in het zwembad, toen hij onder water stiekem naar de benen en de borsten van de meisjes had gekeken.

Thuis spraken pa en zijn ooms vaak over Stalin en Chroesjtsjov, over de Koreaanse oorlog en over de arme priesters in Polen en andere landen van het Oostblok die zuchtten onder het juk van het goddeloze communisme. 'Hebben jullie nog wat gelezen over onze spekpater?', vroeg pa weleens. En dan knikten z'n ooms instemmend. 'Tinus, wat doet die man toch een goed werk!'

'Spekpater' was de bijnaam van pater Werenfried van Straaten, die door heel Europa trok om geld en goederen in te zamelen voor de onderdrukte katholieken in het Oostblok. In *De Katholieke Illustratie* had Maarten weleens artikelen over hem gelezen. De pater waarschuwde in felle bewoordingen tegen de gevaren van het communisme. Een man naar hun hart, vond pa.

Vooral op verjaardagen kon de sfeer verhit raken. Dan rookten de mannen dikke sigaren, dronken ze een paar jenevertjes en raakten hun stemmen steeds opgewondener. De Russen konden elk moment in hun achtertuin staan. Wist iedereen wel hoe dichtbij Oost-Duitsland lag! Het kwam erop aan, zei pa, de krachten te bundelen, sterk te staan en vooral: te blijven geloven, te blijven bidden voor de verloren zielen in Oost-Europa.

Pa had de brief al drie keer overgelezen, zag hij. Het was een brief in het Esperanto van een van de postzegelvrienden die hij had in Tsjechoslowakije, Joegoslavië en Polen.

De volgende dag hoorde Maarten hem in de gang bellen met de dokter. Pa vroeg om een recept, hij zei dat hij medicijnen wilde sturen naar een armlastige vriend.

Iedereen moest aan de kant, toen pa een grote doos op tafel zette en de vele potten met pillen inpakte. 'Maak je het niet een beetje te gek', zei moe. Maar pa pakte alles heel netjes in en stopte er ook nog wat levensmiddelen bij.

'Breng jij dit morgen maar weg, Maarten', zei pa.

Hij voelde zich trots, toen hij de doos op de balie van het armoedige postkantoortje in het dorp zette. 'Van mijn vader, medicijnen voor Polen.'

Pa had gevraagd of hij er een briefje in het Frans bij kon schrijven, die taal sprak zijn postzegelvriend ook. 'Bon ami', had hij geschreven, 'houd moed!'

Toen de Russen in 1956 Hongarije binnenvielen, organiseerde het St. Nicolaaslyceum direct een stille omgang door de stad. Hij liep voorop, met een kaars in zijn hand. Hardop bad hij voor zijn katholieke broeders en hij hoopte vurig dat het zou helpen.

'Wat heeft uw land gedáán in Hongarije?', schreef hij aan een Russische postzegelvriend van pa. 'Het is verschrikkelijk!'

'Doe hem even de groeten in het Frans', had pa gevraagd. De postzegelvriend was woedend, en pa ook.

De jongens in zijn klas hadden schone nagels en spraken anders. Hij was een jaar of veertien. Bij Nederlands kreeg hij een leesbeurt. Midden in een zin onderbrak de leraar hem. 'Kun je dat nog een keer herhalen, Maarten?'

'Pardon meneer?'

'Dat ene woord, kun je dat nog een keer zeggen?'

'Welke woord, meneer?'

'Thuis. Wat zei jij, Maarten?'

'Oh, u bedoelt theus?'

De hele klas lag dubbel van het lachen. Theus! Hij schaamde zich dood. Jarenlang oefende hij, op de fiets van Wormer naar Amsterdam en terug:

De meus is uit het huis de tuin in gelopen.

De muis is uit het huis de teun in gelopen.

De muis is uit het huis de tuin in gelopen.

De muis is het heu... huis de tuin in gelopen.

Net zolang tot hij het kon, nooit meer meus en theus en teun zei. Al snel kreeg hij er een hekel aan wanneer mensen Zaans spraken. In het dorp, in de familie.

Het was nooit goed. In de stad was hij een dorpse jongen, in het dorp een stadse student. Op een zaterdagmiddag moest hij in het Verenigingsgebouw van pa een kwitantie afgeven. Engel Al, de barbeheerder, nam de enveloppe van hem aan. 'Zeg zeun, wanneer ga jij nou eens wérken', zei hij. In zijn stem klonk minachting. Alle jongens van het dorp kwamen regelmatig een biertje bij Engel drinken, behalve Jos en hij. Ze moesten wel ontzettende sullen zijn.

'Ik werk me rot, Engel', zei Maarten.

Engel keek hem verbaasd aan. 'Ja, daar word je zeker wel moe van hè, van lezen.'

Er zat maar één ding op. Hij moest keihard studeren. Elke avond boven zijn boeken zitten, laten zien dat hij net zo hard werkte als zijn vader, zijn broers, de fabrieksarbeiders in het dorp. Hij moest zijn uitverkiezing waarmaken. Maar, wist hij, wat hij ook deed: hij zou altijd alleen staan.

Vlak na de dood van Jos verhuisde het St. Nicolaaslyceum van de Spaarndammerbuurt naar Amsterdam-Zuid. Het kostte hem bijna twee uur om vanuit Wormer op school te komen. 'Waarom ga je niet bij tante Annie en ome Siem wonen?', vroeg moe. 'Dat is toch veel makkelijker?'

Zijn oom en tante hadden een melkhandel in de Pijp. Hij kon het goed vinden met hen en zijn nichtje Jopie. Maar hij voelde zich ook eenzaam in de stad. In zijn kamertje las hij *De pest* van Camus. Hij schreef verheven frases in een dagboek dat hij later zou verscheuren. Soms fietste hij urenlang in zijn eentje over de grachten.

Hij miste het rumoer aan tafel 's avonds, de gesprekken met z'n vader. Hij miste de koffievisite op zondagochtend, wanneer iedereen bij hen kwam binnenlopen. Zijn moeder was zo gastvrij, ze blééf koffie zetten voor vrienden en familie. En hij miste de lange avonden dat hij met Jos aan de tafel in de voorkamer zat te studeren.

In de kerk zeiden ze dat Jos' dood een offer was, dat God gaf en God nam. Maar dat troostte hem niet. Er kon toch geen goede reden zijn waarom ze Jos moesten missen? Wat kon God ermee hebben bedoeld?

Er werd thuis niet vaak over Jos gepraat. Zijn foto stond op het dressoir, zo nu en dan lieten pa en moe een mis voor hem opdragen. Soms werd het verlies op gedempte toon besproken met de visite.

Hij zou zelf ook nooit zomaar aan bijvoorbeeld Jo vragen: 'Zeg, mis jij Jos nou ook zo?' Alleen in stilte vroeg hij zich vaak af wie Jos geworden zou zijn, wie zijn vrouw.

Nog lang herinnerde hij zich hoe hij, in het laatste jaar van het gymnasium, op een middag het weiland uit liep, tot aan de ijzeren molen. Er was net gehooid, het rook naar gras en zomer. Hij was aan de vaart gaan zitten, met z'n rug tegen één van de vele hooiklampen die op het land stonden. In zijn hoofd tolde het. Hij voelde zich verder verwijderd van zijn familie dan ooit.

Hij sprak nu vreemde talen, kon Griekse en Latijnse teksten ontleden, kende z'n geschiedenis, Homerus en Euripides. Voor het eerst van z'n leven was hij naar een toneelstuk geweest, naar een museum. 'Een studiebol' vonden z'n klasgenoten hem. Maar anders dan op de lagere school in het dorp, waar de jongens ruw waren, werd hij op het lyceum niet gepest met z'n goede cijfers. Zijn vrienden keken tegen hem op. Hij had eerste prijzen gewonnen voor Frans en Latijn. Bij de uitreiking, in Bellevue of een andere chique zaal in Amsterdam, zat zijn vader vooraan in zijn beste pak, glimmend van trots.

Zijn broers hadden er nog nooit wat over gezegd. Ze wisten niet eens wat hij presteerde. 'Professor', noemden Jan en Piet hem lacherig. Thuis ging het gesprek altijd over het werk, de tuin. 'Jan, er moeten nog zoveel bomen worden geplant, pa, bestelt u drie kuub grond.' Ze hadden geen idee waar hij over dacht, waar hij van droomde.

Na de zomervakantie ging hij klassieke talen studeren aan de universiteit, zoals Jos van plan was geweest. Veel zin had hij er nog niet in. Soms droomde hij erover om iets heel anders te gaan doen. Misschien kon hij een farm beginnen in Canada, waar nog genoeg land en ruimte was. Maar hij wilde pa en moe niet teleurstellen. Pa had het zo mooi gevonden dat Jos Latijn ging studeren; de taal die ze in de kerk spraken.

'Wat moet je met die dooie talen, man', had Jan weleens gezegd, de broer die na hem kwam. 'Je ken beter Duits leren, daar heb je tenminste wat aan op vakantie.' Jan en Piet waren alleen geïnteresseerd in kermissen, bier en meisjes. Elke zaterdagavond kwamen ze met een enorme drankkegel de zolder op. Hij had er een hekel aan. Als gymnasiast ging hij niet naar kermissen, dat was vermaak voor werkende jongeren. En hij hoefde ook niet zonodig elk weekeinde een ander grietje.

'Wij moeten wel werken, Maarten, zodat jij kan studeren', had Piet ooit pesterig opgemerkt. 'Het geld moet toch ergens vandaan komen.' Maar dat was niet waar, voor zover hij wist. Zijn broers waren gewoon niet zo studieus als hij. Alleen Nico en Gerard, die na Piet kwamen, zaten weer een beetje op zijn lijn. Die waren naar het St. Michaël College gegaan, de katholieke hbs in Zaandijk die net was geopend.

Pa moedigde iedereen aan door te leren. Hij zei: 'Als het éven kan, moet je naar het lyceum, jongen, dan krijg je het goed later.' Maar Jan en Piet waren losbollen. Daarom konden ze maar beter de tuin in gaan. Hij benijdde hen niet. Het was hard buffelen voor weinig geld.

Soms voelde hij zich stiekem een beetje méér dan zijn werkende broers. Pa en moe zeiden het wel niet met zoveel woorden: hij wist dat ze trots op hem waren.

In de stad leerde hij hoe de wereld in elkaar stak. Vervolgens bracht hij zijn kennis over op de achterblijvers thuis. Alsof hij een vooruitgeschoven post was, een ambassadeur van de hele familie.

Maar hij hielp óók met hooien, onkruid wieden en tuinen ophogen. Dat vergaten Jan en Piet als ze zeiden dat zij de kost moesten verdienen. Hij had ook altijd in het bedrijf gewerkt. Zijn broers mochten hem niet begrijpen, hij wist heel goed hoe zwaar het was om een groot stuk grond om te moeten spitten.

Toen Maarten een ventje van tien, twaalf jaar was, bedacht pa elke dag weer wat nieuws voor hem. Schoffelen, aardappels schillen, hout halen of venten, langs de weg leuren met bosjes bloemen. De jongeren in het gezin hadden dat nooit hoeven doen. Die leken soms het idee te hebben dat de bomen tot in de hemel groeiden. Maar de oudsten hadden nog elke dag te horen gekregen: 'Jongens, we moeten keihard werken, anders redden we het niet.'

Hij zag zichzelf zo weer gaan, met zijn bosjes lathyrus. Zijn vader kweekte die rotbloemen, hij liet ze langs draadjes aan stokken omhoog groeien. Als je ze geplukt had, hingen ze al na een uur slap. De luizen liepen over je handen. Hij durfde er bij niemand mee aan te komen. Als hij aanbelde, probeerde hij krampachtig het bosje zo vast te houden dat het nog wat leek. Meestal namen de mensen een boeket, uit medelijden, want ze wisten dat hij van Koelemeijer was en dat ze thuis veel kinderen hadden.

Hij had erg lang in het weiland gezeten, op die zomermiddag in het laatste jaar van het gymnasium. De zon ging al onder toen hij terugliep naar huis. Zijn moeder hing net de laatste was op in de tuin. 'Maarten!', riep ze. 'Waar heb jij zo lang uitgehangen?' Hij mompelde iets over het hooi dat binnengehaald kon worden en liep naar binnen.

❖

'Kom moe, even slikken', zei Maarten. 'U moet wat eten.' Het was een vrijdagavond, eind januari 1991. Hij had zich van het Waterlant College in Amsterdam, waar hij leraar Grieks en Latijn was, naar huis gehaast om voor zijn moeder te zorgen. Meestal begon hij al om vier uur 's middags, twee uur eerder dan zijn broers en zussen gewoonlijk bij moe aankwamen. Hij had een hekel aan de oppasbeurten. Op vrijdagmiddag gingen zijn collega's altijd nog even een biertje drinken. Hij kon nooit mee. 'Sorry jongens, ik moet naar mijn moeder.' Het klonk lullig. Maar hij had zichzelf nu eenmaal die verplichting opgelegd. Het spaarde toch weer twee uur uit op de dagverpleging.

'Geef je je moeder nog wel wat', had de verpleegster gevraagd. 'Als ze niet eet, gaat haar huid zo snel achteruit.' Nu zat hij naast moe, in zijn hand hield hij een lepeltje. Hij had haar net een hap aardappelen met worteltjes gegeven. Maar ze wilde niet slikken. Ze hield het eten nu al vijf minuten in haar mond.

'Kom moe, slik nou.' Ze keek hem glazig aan. Begreep ze wat hij zei? Ze was dement, dat was zeker. Zijn broers en zussen mochten in het logboek schrijven dat ze dit had gezegd en dat: hij hoorde alleen maar wartaal. Ze leefde in het verleden. 'Moet het kindje begraven worden?', zei ze eens, terug aan het doodsbed van één van haar broertjes of zusjes. 'Is er al een kistje?' Soms ook verwijlde ze in latere tijden, was ze weer getrouwd met een druk bezette tuinman. 'Pa is weer zó laat thuis', zei ze dan, in de veronderstelling dat die elk moment binnen kon stappen. 'Pa is er niet meer, moe', probeerde hij vervolgens, maar dan keek ze hem niet-begrijpend aan.

Nog steeds hield ze het eten in haar mond. 'Toe, moe', zei hij. Ze slikte, goddank. Weg met dat eten nu. Hij wilde haar niet dwingen. Waarom zouden ze haar leven nodeloos rekken? Hij was tegen actief ingrijpen. Zei Plato niet: 'We houden het leven tot God ons roept'? Maar als moe zélf niet meer wilde eten, dan mocht ze van hem op een natuurlijke manier wegglijden uit dit bestaan. De anderen moesten zelf maar proberen haar te voeren. Hij deed er niet aan mee. Al zou hij dat niet recht in hun gezicht zeggen. Dat gaf maar onenigheid. Liever deed hij stilletjes wat hem het beste leek.

Moe leek weer in slaap te zijn gevallen. Straks ging hij nog even achter op het tuincentrum kijken. Dat deed hij wel vaker. 'Schiet op, jongen, ga wat doen', zei zijn moeder vroeger. Zo'n vrouw verwachtte toch niet dat je de hele avond haar hand zou vasthouden. Of zoete woordjes in haar oor zou fluisteren. Meestal deed hij er het zwijgen toe, net als zij.

Zijn moeder was een goede, lieve vrouw geweest. Ze was nooit verder gekomen dan de lagere school en had misschien weinig begrepen van waar hij mee bezig was. Toch stond ze altijd achter hem. Hij herinnerde zich de periode dat zijn vrouw het psychisch erg moeilijk had. Van zijn broers en zussen hoorde hij toen weinig. Ook pa en moe wisten niet goed wat ze ermee aan moesten. Maar ze wáren er wel. Ze trokken het zich aan. 'Kind, ik zal voor je bidden', zei moe vaak.

Voor moe waren al haar kinderen goed. Met Sinterklaas kwam ze bij iedereen een speculaaspop brengen. Oók bij degenen die bij pa lange tijd uit de gratie waren.

Ze had een mooi leven gehad. Nu was ze oud en naderde haar einde. Dat was te aanvaarden. Eerlijk gezegd hoopte hij dat het niet te lang zou duren.

Hij was het er in het begin ook helemaal niet mee eens geweest om moe naar huis te halen. 'Ze kan toch ook in een verpleeghuis, Toos', had hij gezegd. Maar Toos wilde er niet van horen. 'Lijkt dat je leuk voor je moeder dan?', zei ze. 'Het is toch veel aardiger als we zelf bij haar kunnen zitten, er een feestelijk familiehuis op na kunnen houden?'

Typisch Toos. 'Feestelijk familiehuis.' Hij was juist bang dat de lol er snel van af zou gaan. Ze zouden met z'n twaalven moeten overleggen, beslissingen moeten nemen. Hij voorzag al avonden vol loos geschreeuw, die nergens op uitliepen omdat niemand naar elkaar luisterde. God, hij was net zo blij dat de lange jaren zestig en zeventig voorgoed voorbij waren en hij op verjaardagen niet meer eindeloos hoefde te discussiëren met zijn marxistische broers over hun onverzoenlijke politieke opvattingen. Zo star als ze soms waren geweest, zo ontactisch ook. Ze hadden zijn goede vader op alle mogelijke manieren tegen zich in het harnas gejaagd. Straks begon het hele feest weer opnieuw! Stonden hij en zijn broers weer tegenover elkaar, maar nu niet om Castro of Ho Chi Minh, maar om moe.

Bovendien zou het een kostbare onderneming worden. 'Waarom zou je het geld van pa oppotten?', had Toos uitgeroepen. 'Besteed het aan je lieve moeder, maak het op.' Maar zijn vader zou zijn geld nooit met zoveel scheppen tegelijk hebben uitgegeven.

Sinds pa in 1986 was overleden, had hij de financiën voor moe geregeld. Moe snapte daar niks van. Hij had haar eens uitgelegd hoe ze geld kon opnemen bij de bank. Daarna kwamen de afschrijvingen achter elkaar binnen. 'Geeft u zóveel uit, moe?', had hij gevraagd. 'Welnee, jongen', had moe gezegd, 'ben je gek, ik bewaar het goed.' Maar ze had gedacht dat ze elke cheque die ze binnenkreeg direct moest verzilveren, tegen het maximale bedrag. 'Ik vond al dat er zo goed voor bejaarden werd gezorgd tegenwoordig!', zei ze lachend.

Pa had dankzij zijn spaarzaamheid een behoorlijke erfenis achtergelaten. Dat zouden zijn broers en zussen wel weten. Ze hadden na pa's dood allemaal een brief gekregen van de notaris. Maar bijna niemand vroeg hoe het er nu financieel voor stond. Alleen hij had het overzicht. En dat kwam hem eigenlijk goed uit. Wie wist hoe lang moe nog zou leven. Het was het verstandigste om net als pa steeds de indruk te wekken dat er zuinig aan moest worden gedaan.

Als het aan Jan, Piet en Martien lag, was het kapitaal zo verbrast. Die hadden twee succesvolle tuincentra, ze waren gewend op grote voet te leven. Wie had vroeger ooit gedacht dat je als tuinman nog eens zulke goede zaken kon doen. Dure auto's, verre vakanties, niets was te gek. Maar zo makkelijk konden ze niet met pa's geld omgaan. Dat was hij aan zijn vader verplicht.

Daarom had hij ook na drie weken de particuliere verpleging eigenhandig opgezegd. Toos sputterde nog tegen. 'Maarten, dat kun je toch niet zomaar doen?!' Maar hij had zijn wil doorgedrukt. Hij was erg geschrokken van de eerste rekening. En wat deden die verpleegsters nu 's nachts. Dat konden ze toch zelf ook?

Het was inmiddels goed opgelost. Overdag werd er afwisselend op moe gepast door dames van de thuiszorg en drie verpleegsters die ze zelf in dienst hadden genomen. Lucie regelde het allemaal. En dat ging goed. Ruzie hadden ze nog niet gehad. Slechts af en toe moest hij bijsturen.

Zojuist de kas weer opgemaakt. Op de eerste plaats alle verzorgsters een compliment voor de nauwgezetheid waarmee de uitgaven verantwoord worden. Meestal klopt alles behoorlijk. Wel wil ik iedereen die geld uitgeeft, vragen dit zo verantwoord mogelijk te doen. De laatste week werd alleen al voor levensmiddelen f187,50 uitgegeven. Dit bedrag loopt nog op, als er iets extra's bij komt (bier, drank etc). Mag ik op ieders medewerking rekenen! (Maarten, 23 maart 1990)

Moe sliep nu diep, ze snurkte af en toe. Voorlopig weigerde ze te sterven. Laatst was hij nog in het ziekenhuis geweest, waar hij toevallig de arts tegen het lijf was gelopen die moe indertijd had geopereerd. 'Wát?', had die verbaasd uitgeroepen. 'Lééft die vrouw nog?'

Het was een wonder. Het wonder van Maria Zachea. En God alleen wist waar het goed voor was.

4 Jan [1941]

'Ha, moedertje!' Hij sloeg een arm om moe heen en hield haar even stevig vast. 'Alles goed?' Ze trok haar ene mondhoek omhoog. Zie je wel. Altijd wanneer hij haar aanraakte, begon ze te lachen.

Zijn broers waren soms afstandelijk. Alsof moe, nu ze niet meer kon praten, ook geen behoefte meer had aan contact. Maar ze vond het lekker om aangehaald te worden.

Zachtjes kneep hij in haar arm. 'Koffie, moe.' Hij hield het kopje voor haar mond. Ze nam een slokje. 'Is het lekker?' Moe keek wazig voor zich uit. Hij pakte haar hand. De mondhoek ging weer omhoog.

Ze waren het niet gewend. Hij kon zich niet herinneren dat zijn moeder hem ooit had aangehaald. Ze was al blij wanneer iedereen er netjes gekleed bij liep, het eten om zes uur op tafel stond. En ze was natuurlijk een nuchtere, koele vrouw geweest.

De anderen wilden het vast liever vergeten, maar hun verjaardagen werden nooit gevierd. 'O ja Janus, dat is waar ook. Je bent jarig vandaag', zei moe op een keer toen hij uit school kwam. Dat wist hij zelf natuurlijk allang. Hij werd tien. Maar hij had er niets over durven zeggen.

'Nou, gefeliciteerd, jongen.'

Geen zoen, geen cadeautje, niks. Bij zijn vriend thuis werd de stoel van de jarige versierd. 's Morgens zong de hele familie van lang zal hij leven. En die jongen kwam ook uit een groot gezin. Het kon moe gewoon niet schelen.

Of kijk naar Marian. Die verstopte zich toen ze klein was in de grote kast in de kamer. Ze zat op haar hurken naast de stofzuiger. Hij en zijn broertjes pestten haar. Ze trokken de deur van de kast open en riepen: 'Bats, bats!'

Marian had een snotneus, d'r haar hing voor haar gezicht, ze wilde niet uit de kast komen. Daar schonk moe toch ook geen aandacht aan?

Wat hadden ze ooit van zichzelf gehad? Wat konden ze koesteren in hun jeugd als iets eigens, iets waardevols dat je niet met z'n twaalven hoefde te delen?

Ze hadden geeneens eigen onderbroeken. De kleren van de jongens hingen in één kast bij elkaar. Als je er niet op tijd bij was, moest je de hele week een onderbroek aan die rot zat.

Ze hadden het niet breed begin jaren vijftig. Moe verstelde het jongensondergoed daarom met ASEF-kunstmestzakken, die pa meebracht van zijn werk. Het waren ruwe, linnen, rood-wit-blauwe zakken. Onverslijtbaar en niet duur.

Jan schaamde zich voor hun armoede. In de zomer fietste hij weleens met ome Lau Ruijter en een grote groep neefjes en broertjes naar Castricum aan Zee. Zo ver kwamen ze anders bijna nooit. Ze waren uitgelaten. De zon prikte op zijn huid. Het water lokte. Maar hij wist niet hoe hij zijn onderbroek moest verwisselen voor zijn zwembroek. Hij trok zijn lange hemd ver over zijn knieën. Hij maakte rare sprongen. Het zou hem niet gebeuren dat een neefje lachend riep: 'Jan heeft ASEF op zijn kont staan!'

Zijn moeder had hij ook nooit voor zichzelf gehad. Pas nu, nu ze ziek was, was hij voor het eerst met haar alleen. De band die hij altijd met zijn vader had, kreeg hij nu eindelijk ook met zijn moeder. Hij kon haar verwennen, aanraken. Wat maakte het dan uit dat ze zo stil was?

Moe was na de koffie in slaap gedommeld. Hij pakte het logboek om te kijken of er nog wat was gebeurd de afgelopen week. In het begin had hij er nog regelmatig zelf in geschreven.

Als we naar het toilet gaan voor het slapen gaan, kijkt moe in de spiegel en zegt: Jan met zijn oude moeder en er verschijnt een grote smile op moeders gezicht. (Jan, maart 1990)

We keken naar de sterkste man van Nederland. Vraagt moe: is dat niks voor jullie om mee te doen? Vraag ik: wie? Nou, jij of Piet, jullie zijn het gewend. (Jan, november 1989)

Maar nu ze al bijna drieënhalf jaar ziek was, viel er nog weinig te vertellen. Moe ging niet echt achteruit, maar ze werd ook niet beter. Ze zat op haar stoel en sliep of staarde naar de televisie. Hij kon zich haar soms al bijna niet meer herinneren zoals ze vroeger was.

Ze zei nu ook vrijwel niets meer. Dat begreep hij wel. Het was niks voor haar om verzorgd te worden. In het begin had ze misschien nog hoop gehad dat ze op zou knappen. Ze deed nog haar best. 'Ga weg, kwibus, ik doe het wel zelf.' Maar uiteindelijk, toen ze geen stap meer kon zetten en als een baby moest worden gevoerd, had ze zich overgegeven. Ze kon nog best volgen wat er om haar heen gebeurde. Maar ze had niets meer toe te voegen.

In het logboek las hij dat ze 'een half tartaartje met spinazie' had gegeten. De keuken was 'van boven tot onder gesopt'. Ze had in het zonnetje 'lekker liggen kijken'. Hij las ook dat mevrouw 'in haar urine dreef' bij het ontwaken. Ze had een 'rood plekje op haar rechterheup met blaasjes'. De verzorgster begroette ze met een 'hoorbaar goedemorgen'. En ze had ook een dag lang 'veel geglimlacht'.

Een van de verpleegsters had een artikel uit de krant ingeplakt.

Koelemeijer in de prijzen op Floriade

Gebroeders Koelemeijer is uitgeroepen tot tweede tuincentrum van Nederland. Die eervolle kwalificatie, gedaan tijdens de Floriade in Zoetermeer, klonk Martien Koelemeijer als muziek in de oren.

Koelemeijer geniet landelijke bekendheid als de Hof van Heden, een complex van 27 modeltuinen. Een van die tuinen verhuisde naar het Exposorium-gebouw op het Floriade-terrein. Een L-vormige oppervlakte die in enkele dagen werd omgetoverd tot een oosters paradijsje. Menig bezoeker heeft zich hierdoor al laten inspireren voor het aanpakken van de eigen tuin. Het zal iedereen nu duidelijk zijn dat Koelemeijer niet alleen verstand heeft van kweken. Ook de composities scoren hoog.

Er stond een foto bij het verhaal. Martien poseerde breed lachend in de Floriadetuin. Hij droeg een spijkerbroek en een slobbertrui en hield zijn hand stoer in zijn zij. Zelf zou hij liever een knap jasje hebben gedragen, met een das.

Tweede tuincentrum van Nederland. In 1982 waren ze nog eerste geworden op de Floriade in Amsterdam, toen was het helemaal feest. 'Hoe doen jullie dat toch als broers onder elkaar?', had een klant hem ooit gevraagd. 'Jullie zijn zó verschillend.'

Dat was waar. Piet was zwaar en rossig, net als moe. Hij slank en donker zoals zijn vader. En waar Piet van een biertje en zijn rust hield, ging hij graag skiën, golfen en op pad met de winkeliersvereniging. Ook Martien was een heel ander type. Veel jovialer, amicaler ook. Meteen je en jou zeggen, klanten op de schouder slaan. Martien hoorde zichzelf erg graag praten. Overdrijven dat hij kon. Als je hem moest geloven, liep zijn tuincentrum altijd beter dan dat van Piet en Jan. En dan had je nog Guus, die als laatste bij het bedrijf was komen werken en óók wat te vertellen wilde hebben.

'Zo lang de zaken goed gaan, gaat het best samen', had hij tegen die klant gezegd. In de meer dan 25 jaar dat ze nu samenwerkten, was de zaak alleen maar gegroeid. Ze hadden nu een goed lopend hoveniersbedrijf en twee moderne tuincentra, één in Wormer en één in Zuidoostbeemster. Er stonden inmiddels zestig werknemers op de loonlijst. Ook hadden ze nog een bloemenwinkel in Wormer, een grote kwekerij in Hobrede en een modeltuinencomplex waar mensen uit het hele land op afkwamen.

Martien runde de Beemster, met hulp van Guus. Piet en hijzelf leidden de zaak in Wormer. De bloemenwinkel deed hij er ook bij. Het bedrijf was zo groot geworden, dat ze elkaar niet in de weg zaten. Ze vergaderden ook zo min mogelijk. Liever knikten ze ja en gingen ze intussen hun eigen weg. Ze sloten stilzwijgend compromissen, ontweken de confrontatie.

Zo hadden ze het thuis geleerd. Moe hield niet van ruzie. 'Hou op, schei uit', riep ze zo gauw iemand dwars lag. 'Het ene woord lokt het andere uit, hou je mond, jij.' Er was nooit ruimte geweest voor afwijkende meningen. Je moest wel meegaan met de rest, of je nu wilde of niet. En dat ging goed wanneer je elkaar een beetje ontliep, je je niet te veel in de ander verdiepte.

Voor de buitenwereld leken ze misschien tolerant. Ze waren ook wel loyaal. Een *clan*. Maar je kon je afvragen waar die tolerantie op was gebaseerd. Of het geen mooi woord was voor onverschilligheid en oppervlakkigheid.

Hij keek nog eens naar de foto van zijn broer. 'Martien Koelemeijer in de zilveren compositie', stond eronder. Had zijn vader dit nog maar meegemaakt. Die was lang bang geweest dat er niets van Martien terecht zou komen. En zie nu. Anno 1992 kon ook een tuinman de krant halen. 'Kijk moe, Martien staat in de krant', zei hij. Maar moe zweeg.

❖

Er was hem niet gevraagd of hij de tuin in wilde. 'Jij moet mij maar gaan helpen', had pa op een dag gezegd. Jos en Maarten gingen naar het gymnasium, ze konden niet allemáál studeren. De 'professoren', zoals Piet en hij hun studerende broers noemden, wilden het misschien niet weten, maar er moesten er ook een paar de kost verdienen.

Hij kon best meekomen op school. Maar hij werkte even graag in de tuin, net als Piet. Dat had pa wel goed gezien. En hij was er ook best trots op dat hij, als eerste van de zoons, een eeuwenoude traditie voortzette.

Pa gaf hem het oudste kasboek van de familie. Het was een in perkament gebonden, langwerpig, smal boekwerk met vergeelde bladzijden, waarin een verre overgrootvader van 1764 tot 1782 zijn administratie had bijgehouden. 'Ik heb van mijnheer pastoor zijn tuijn aangenomen voor een somme van 86 gulden', schreef zijn voorvader Johannes Koelemeijer in 1781 – in een priegelig, cursief handschrift. Waarna hij opsomde wat pastoors kostenposten zoal waren: 'Juny: knegts 2 dage; baas 2 dage; groote boome 10 stuks...'

De klanten waren soms bekende industriëlen, zoals 'Jakop Honig' te Zaandijk. Ook werkte zijn verre overgrootvader vaak voor de pastoors van 'Crommeniedijk' en Wormer. Andere Zaanse namen waren Visscher, Kuijper en Backer.

Zo nu en dan verkocht de familie 'groote boomen'. Maar de grootste inkomstenbron was het 'arbijdsloon' van de 'baas' en z'n 'knegts'. Wat ze uitvoerden in de tuinen van de rijken werd niet opgeschreven, maar dat kon Jan zich gemakkelijk voorstellen. Heggen knippen, het gras maaien, bomen snoeien, veel groenten planten en heel af en toe een bloem, want van een tuin moest je allereerst kunnen eten. 'Snijboone', stond er in het kasboek. 'Appels en peere boome', 'slaboonjes', '200 andijfie planten'. Maar ook '13 plante met bloemen', zonder naam.

Een oude vriend van hem uit Wormer had ooit de stamboom van de familie uitgezocht. De oudst bekende Koelemeijer was van 1737. Hij kwam oorspronkelijk uit Duitsland, uit het Westfaalse Steinheim, waar hij nog Khulemeijer heette. Rond 1760 trok Johannes naar het meer welvarende Holland, waar hij in Wormer, dicht bij de florerende industrie langs de Zaan, een hoveniersbedrijf begon.

In bijna tweehonderd jaar was er voor de familie maar weinig veranderd. Toen Jan net begon als tuinman, deed hij vrijwel hetzelfde werk als zijn verre voorvader Johannes Wilhelmus.

In 1955 werd Jan veertien en kreeg hij van zijn vader een zwart, manchester werkpak, een paar nieuwe klompen en een sigaret. Nu was hij een man.

Elke ochtend ging hij samen met pa op stap, de eerste jaren nog met de handkar of de fiets. In een mand op zijn rug had hij een hark, een schoffel, een schep, een grasschaar, een snoeischaar en een jutezak om op te knielen. Soms had hij ook nog een grote stapel ligusters achterop, dan ging hij slingerend door het dorp.

Ze fietsten naar de familie Wakker van de houtmeelfabriek in Wormer, naar de pastorie van Assendelft of dokter Berkel in Wormer. De meeste klanten kende pa al jaren. Velen waren katholiek, maar ze kwamen ook bij mensen die niet gelovig waren of protestant. Zaken waren zaken.

Pa stapte graag bij zijn klanten binnen. Om tien uur was er koffie en een sigaar. De vrouwen van de rijken hadden niet veel te doen. Ze konden meer dan een half uur zitten praten met pa, die graag vertelde over zijn bedrijf en zijn oudste zonen die in de stad studeerden. Zelf zei hij niet zo veel. Soms kreeg hij wel twee koekjes bij één kopje koffie.

'Ga toch eens mee naar de bioscoop, Jan', zei zijn vriend Siem Butter. Ze dronken een biertje in het Verenigingsgebouw. Hij wist niet wat hij moest zeggen.

'De bioscoop?'

'Ja, in Wormerveer. Leuk man.'

'Doen we een keer, we zullen wel zien.'

Thuis, onder het eten, dacht hij erover na. Iedereen at snel zijn bord leeg. Aardappelen met jus en slabonen, havermout toe. Je hoorde alleen het tikken van lepels, het geschraap in de pan. Ome Jo, die elke avond meeat omdat hij geen vrouw had die voor hem kookte, zat te slurpen. 'Wil er nog iemand wat?', vroeg moe, die altijd met een grote lepel het eten verdeelde.

De bioscoop. Hij was nog nooit naar de bioscoop geweest. Ze gingen nergens voor de lol heen, want ze werkten zes dagen en op zondag waren ze thuis. Er was ook geen geld voor vertier of uitstapjes. Hij dorst het moe niet eens te vragen. Het was misschien het beste Siem te ontlopen. Vrienden waren toch niet welkom bij hen thuis. 'We hebben zat aan ons eigen', zei moe.

Op zondagochtend, na kerktijd, mocht iedereen aanschuiven voor een bak koffie. 'Mijn moeder is zó gastvrij', zei Maarten altijd. Maar hij vergat erbij te vertellen dat er de rest van de week zelden iemand bij hen over de vloer kwam. Moe wilde rust in huis. Als de bel ging, keek ze verstoord op. Het zou toch geen visite zijn?

Bij hen thuis werd gelezen, gestudeerd. Hij vond er weinig aan 's avonds. Meestal kwam hij laat binnen en ging hij al snel naar bed. Bil aan bil met Piet in de twijfelaar op zolder. Kaal was het er, koud. Er stond geeneens een stoel om je kleren over te hangen. Je smeet je broek maar over een balk.

Na het eten liep hij naar buiten. Hij moest nog een paar bomen planten op de kwekerij van pa naast de boerderij van ome Jo. Het waaide hard. De wind trok aan de takken. Maar hij was sterk. Soms liep hij op één dag met een zware handkar van Wormer naar Zaandam en weer terug.

Hij dacht aan zijn vriend Siem. 'Ik ga liever een biertje drinken dan naar de film, Siem.' Nee, dat klonk niet erg overtuigend. 'Ik kan het niet betalen, Siem.' Zoiets zei je niet. Het klonk te zielig. Siem zou wel denken: die jongen werkt zich rot voor nop, wat een sufferd. Het was beter niks te zeggen. Siem uit de weg te gaan, te doen alsof hij het vergeten was.

Vrienden waren lastig. Ze wilden dingen die ze bij hen thuis niet deden. Jos en Maarten moesten wel leren omgaan met vreemden. Maar hij was de hele dag alleen met pa in de tuin. Hij sprak niet veel mensen.

Zeventien was hij. Pa gaf hem zijn eerste klus alleen. Hij moest een steeg ophogen in Zaandijk. Zeker een dag werk, dacht pa. Hij had een kruiwagen van 130 liter. De jongens die later voor hém zouden werken, vonden een kruiwagen van 80 liter al zwaar. Die wisten niet meer wat werken was.

Hij sjouwde met zand en tegels, dacht alleen maar aan de steeg die een halve meter omhoog moest. Om vier uur was hij klaar. Hij had nog een paar kruiwagens zand over. De buren hadden gezien dat hij wel van aanpakken wist. Ze vroegen of hij met dat laatste zand ook hun steeg kon opknappen. Zo verdiende hij op één dag een dagloon en drie extra uurtjes.

Trots vertelde hij het aan pa, die kon een rekening sturen. Zijn vader gaf hem er niks voor. Geen geld, geen woord van waardering. Maar hij wist dat pa tegen anderen over hem opschepte.

Ze kregen een brommer, een oude, zwarte Cyclemaster. De brommer was een cadeau van kapelaan Reus, een zachtmoedige man die net als moe uit West-Friesland kwam en die vaak even bij hen binnenliep. Kapelaan

Reus vond dat de familie vooruit moest. En dat ging niet zonder brommer.

Het was 1957. Nu konden ze ook klussen aannemen in Uitgeest, Heiloo en Beverwijk. Ze laadden hun hele handel erop en hij zat lekker warm achter pa's leren jas.

Soms hadden ze pech en kregen ze, wat ze ook probeerden, de oude Cyclemaster niet meer aan de praat. Dan stonden ze langs de weg, in de regen. Moest pa trappen, duwde hij mee en scholden ze samen op de brommer.

'Nog even pa, we zijn er bijna.'

'Verdikkeme Jan, die rotbrommer.'

En dan kwamen ze doornat thuis, waar moe mopperde dat het geen weer was om te werken en dat ze niet wist hoe ze die natte zooi weer droog moest krijgen.

Misschien was het toen dat ze elkaar leerden verstaan, zijn vader en hij. Ook al spraken ze nooit over zichzelf en altijd en eeuwig over het werk. Ze maakten samen wat klaar, zoals dat heette.

De jongeren in het gezin zouden, veel en veel later, aan hem vragen hoe het mogelijk was dat hij pa's hand vasthield op zijn sterfbed. Ze hadden het met verbazing aangezien, misschien ook met jaloezie. Zelf konden ze het niet opbrengen. Waarom Jan wel? En dan vertelde hij altijd over de pech met de Cyclemaster.

Niet dat ze nooit ruzie hadden. Elke zondagochtend, na kerktijd, moesten Piet en hij opnoemen bij wie ze gewerkt hadden en hoe lang, zodat pa zijn administratie in orde kon maken. Terwijl de anderen koffie zaten te drinken, de nieuwste verkeringen werden voorgesteld, zaten zij met hun kladjes bij pa in de voorkamer.

Pa vroeg: 'Hoe was het met mevrouw Fust in Zaandijk? En met haar man? Hoe stond de tuin erbij? Weten jullie zeker dat het drie kuub zand was? En hebben jullie die bollen wel afgedekt?'

Ze werkten elke dag vanaf vijf uur 's morgens. Eerst samen 202 Volkskranten bezorgen, dan de hele dag tuinen onderhouden. Ook 's avonds moesten ze vaak nog een klus doen. Zondag was hun enige vrije dag. Ze hadden meestal een kater, want werkende jongeren als zij gingen, anders dan dooie stadse studenten als Maarten, op zaterdagavond dansen. Wat kon het hun dan schelen of het twee of drie kuub was? Als ze wat meer schreven, was dat toch alleen maar goed voor de zaak?

Maar pa had zijn bril op en wilde alles precies en eerlijk. 'Hebben jullie die takken wel opgeruimd, jongens?'

'Ja wat denkt u!'

'Zeur niet zo, pa, we schieten geen moer op.'

'Jan! Dat zijn vaste klanten!'

Ze moesten de tuin van het St. Nicolaaslyceum in Amsterdam opknappen. De school van Maarten – en vroeger van Jos. Met Jos ging hij fietsen toen hij een jaar of tien was. Het waren zijn eerste uitjes geweest. Ze fietsten naar de sluizen van IJmuiden en weer terug. Zomer, vogels, uitzicht, trappen tegen de wind. Jos liet hem plaatsen zien waar hij nog nooit was geweest.

Toch had Jos' dood geen grote indruk gemaakt. Hij wist niet meer waar hij was toen hij het nieuws hoorde. Of hij had gehuild, wat hij had gedaan. Van de begrafenis herinnerde hij zich vooral dat alle meisjes naar hem keken toen hij achter de kist op de Dorpsstraat liep.

Het leven ging door. Het was erg jammer maar er was niets aan te doen. Zo dachten zij. Ze spraken er niet over. Hij had ook niet het idee dat pa en moe er veel verdriet van hadden. Er waren nog twaalf kinderen, ze hadden het hartstikke druk. En om wat zou hij zijn broer de professor zelf missen?

Nu was hij voor het eerst op de school van Jos. Hij stond in de tuin te schoffelen en keek door de ramen naar binnen. Hij benijdde de leerlingen niet. Ze zaten vast elke avond boeken te lezen. Maar later kregen die studentjes het beter dan hij. Ze werden dokter, rechter, schoolmeester. Hij werkte soms voor leraren. Die hadden grote tuinen, ze waren stinkend rijk.

'Ga jij je váder helpen', had een man in het dorp ooit aan hem gevraagd. 'Word jij tuinman?' Dan zou het wel niks met hem worden, hoorde hij in zijn stem. De Koelemeijers waren al bijna tweehonderd jaar ploeteraars, waarom zou het ooit anders zijn?

Een tuin, dat was een grasveld met drie berken op de hoek, wat heesters en bomen rondom en een paar vierkante meter grond voor de aardappelen en de wortelen achterin. Een schets kwam er bij pa nooit aan te pas, laat staan een ontwerp. Hij snapte ook zo wel wat zijn klanten wilden.

Naast de boerderij van ome Jo had pa een stukje land waarop hij bomen kweekte. Dit 'groen' was eeuwenlang hun enige handel geweest. Als er ergens een nieuw huis werd gebouwd, leverde de aannemer er wat stoeptegels bij voor een plaatsje in de tuin en een paadje naar achteren. Meer hadden de mensen niet nodig.

Maar begin jaren zestig, zag Jan, gingen de klanten andere eisen stellen. In de weilanden achter de Dorpsstraat in Wormer werden nieuwe huizen en flats gebouwd. De bewoners – veelal 'import' – namen geen genoegen meer met een paar stoeptegels en wat berken. Het leek of, nu de natuur in rap tempo verdween onder zand en beton, de mensen steeds meer liefde gingen koesteren voor die paar vierkante meter gras achter hun huis. Tuinieren was geen bittere noodzaak meer, een kwestie van het terugsnoeien van het altijd weer oprukkende groen. Het was een hobby geworden, een leuke bezigheid voor op de pas verworven vrije zaterdag.

De klanten spraken plotseling niet meer over 'een plaatsje om op te zitten', maar over een 'zonneterras'. En ze vroegen: 'Heeft u daar ook een leuke tegel voor?'

Zo begon de nieuwe tijd met de grindtegel. Hoe ze in de mode waren geraakt, wist al snel niemand meer. Maar zeker was dat Piet en hij de trend als eersten in de Zaanstreek oppakten. Ze maakten de grindtegels zelf, dat was goedkoper. Zo hadden ze het geleerd van pa en ome Jo: zuinig werken, niks weggooien, stekjes mee naar huis nemen.

Op een vrije zaterdagmiddag gingen ze aan het werk in de stal van ome Jo. Ze legden op kranten twee lange latten naast elkaar en timmerden er om de zestig centimeter een dwarslatje tussen. Dat was hun mal. Daarna was het even zoeken naar het juiste betonmengsel, maar al snel hadden ze – met hulp van een metselaar uit het dorp – de juiste formule ontdekt: drie delen grind, twee delen zand en een deel cement. Deze smurrie stortten ze voorzichtig tussen de latjes.

'Jullie maken er een bende van', mopperde ome Jo, die altijd alles liefst bij het oude hield. 'Wie wil die ruwe tegels hebben, een kind haalt z'n knieën eraan open.' Maar ze zetten door, Piet en hij. Na twee dagen drogen waren de tegels klaar. Op de onderkant kon je *De Typhoon* of *de Volkskrant* lezen.

'Te koop: Moderne Grindtegels!' Ze verkochten ze op de kwekerij van pa aan de Dorpsstraat. Jarenlang was het daar modderig geweest. Iedere klant die een boom kwam halen, moest met zijn knappe schoenen door de prut om iets uit te zoeken. Nu legden ze er paadjes aan – van grindtegels. Aan de weg zetten ze een groot bord: 'Gebroeders Koelemeijer, voor al uw bloemen en planten.'

❖

Moe staarde uit het raam. Het was een zachte lenteavond. Hij wilde wel even naar buiten. Tante Jo was jarig, de zus van pa die nog altijd op de buurt woonde. Maar hoe moest hij moe daar krijgen? Hij was niet erg handig met de rolstoel, worstelde altijd met drempels en stoepjes. Misschien kon hij haar beter dragen, als een kind. Ze woog toch bijna niks meer.

Hij had zelf nooit kinderen gehad. Al zijn broers en zussen wel, maar hij niet. Het lukte niet, hij was onvruchtbaar. Waarschijnlijk door het werken met pesticiden vroeger. Niemand waarschuwde je in die tijd voor de gevaren. Hij spoot jarenlang gif in de rondte alsof het water was – en nam 's avonds een glas melk tegen de misselijkheid.

Zijn moeder had het verdriet nooit begrepen. 'Ach joh', zei ze ooit, 'je hebt de kinderen van Piet toch.' Hij was verbijsterd geweest. Dat was het 'm nou juist. Piet woonde naast hem. Het huis was gehorig. Als hij op de bank zat, hoorde hij de kinderen huppelen, lachen, de trap op rennen. Elk geluid herinnerde hem aan wat hij zelf moest missen.

Hij vroeg zich soms af of moe ooit naar kinderen had verlangd. Had zij ze alle dertien echt willen hebben? Had ze hém willen hebben? En dan groef hij in zijn geheugen, zocht hij naar een moment van aandacht. Een aai over zijn bol, een extraatje dat ze hem toestopte. Maar hij kon zich van dat alles niets herinneren.

Was hij zo'n klier geweest? Kregen de anderen wel een aai? Was hij anders dan de rest?

Hij had nooit veel op gehad met zijn broers en zusters. En zij misschien niet met hem. Wanneer zagen ze elkaar nu. Af en toe op een verjaardag, dat was het. Ze wisten bijna niks van elkaar. Hij kon hen, net als Jos, eigenlijk heel goed missen.

Piet wist nog steeds niet goed hoe hij vrienden moest maken. Die was altijd thuis, met zijn familie, net als vroeger. Maar hijzelf had, uiteindelijk, geleerd te genieten van het sociale leven. Hij ging skiën met een groep mannen, hij had zijn kennissen op de golfbaan. De armoede en de schaamte lagen ver achter hem. Hij vond het heerlijk in een restaurant een goede fles wijn te bestellen of een cruise te maken op een groot schip. Waar had hij zijn familie voor nodig?

Alleen met pa had hij het altijd goed gehad. Hij was zelfs nog een keer met hem en moe op vakantie geweest. Dat was in de tijd dat de complete jonge garde met pa in de clinch lag, ze begrepen er niets van. 'Wat, ga je met pá op vakantie?'

Maar ze hadden het prima gehad in Oostenrijk. Hij had in een riviertje bruggen gebouwd van stenen, terwijl zijn vader glimlachend toekeek.

'Kom moe, we gaan even wandelen.' Hij pakte de roze sprei van Toos en sloeg die om moe heen. Voorzichtig schoof hij één hand onder haar dunne benen en één hand achter haar rug. Ze keek hem met grote blauwe ogen aan. Hij tilde haar op. Ze was toch nog zwaarder dan hij had gedacht.

Hij liep door de kamer naar achteren, wist met moeite de deur open te krijgen en wandelde via de achtertuinen naar het plaatsje van tante Jo, waar hij vroeger met zijn broertjes 'laarsie trap' speelde. Er zat nog een klein groepje visite buiten.

'Och, daar heb je Marie!', riep tante Jo uit. 'Ze wordt gedragen als een prinses!'

Hij ging met moe op één van de tuinstoelen zitten. Ze leunde lekker tegen hem aan. Ze maakte geen geluid, bewoog zich niet. Haar ogen staarden naar iets wat hij niet zag.

5 Piet [1942]

Nu kon hij zijn rode sokken wel aandoen. Hij was voorbij Krommenie het landweggetje ingeslagen richting Beverwijk, waar hij één dag per week naar de tuinbouwschool ging. Weilanden, grazende koeien, moddersloten. Er was in de verre omtrek niemand te zien. Hij zette zijn Joco-sportfiets aan de kant en haalde zijn sokken tevoorschijn. Pas geleden had hij ze gekocht in een chique zaak voor herenkleding aan de Zaanbocht in Wormerveer. Ze waren duur geweest, maar hij wilde ze per se hebben.

Toos moest hem eens zien. Hij hoorde het haar al zeggen: 'Hebben we net zo'n leuke broek voor je gevonden, ga jij er van die rare sokken onder dragen.' Ze kochten altijd samen kleren, Toos en hij. Vorige week waren ze naar C&A geweest in Amsterdam en thuisgekomen met een bakkersbroek; een broek met een heel klein zwart-wit ruitje. Het was een echte nozembroek. Niemand in het dorp had er zo een.

Hij schopte zijn instappers uit en trok de rode sokken, ondanks het mooie weer, over zijn andere sokken aan, want je wist maar nooit waar, en wanneer, je ze weer razendsnel moest uittrekken. Het zag er perfect uit.

De pijpen van de bakkersbroek waren smal en kropen een beetje omhoog. Tussen zijn schoenen en zijn broek zat zeker tien centimeter knalrode sok.

Even haalde hij zijn hand door zijn kuif. Gelukkig was die niet plat gewaaid. Sinds kort sliep hij 's nachts met een paar gejatte krulspelden van Toos in zijn haar. Het lag beroerd, maar zijn kuif bleef er een stuk beter door zitten. Zeker als hij er ook nog een pot Brylcreem in smeerde. Dan was hij net Elvis Presley.

Met bonkend hart stapte hij weer op de fiets. Hij keek naar zijn draaiende, rode enkels. Zou hij zijn nozem-sokken zondag ook aan durven? Elke zondagavond ging hij dansen in het katholieke Verenigingsgebouw De Bond in Zaandam. Er traden dixielandbandjes op, soms ook werd er rock-'n-roll gespeeld. Hij had swing, zeiden de meisjes, hij had het juiste ritme in z'n elastieken, magere werkersknieën.

De ene helft van de week droomde hij over wat komen zou, op zondag, en de andere helft dacht hij eraan terug. Hij fantaseerde, wanneer hij met zware kruiwagens liep te zeulen, over het leuke zwartje dat hij laatst had gezien; hij zong van rock en de clock (of zoiets) als hij de loodzware handkar de Zaanbrug op duwde; hij zag zichzelf, terwijl hij het gras op de begraafplaats maaide, een knipoog geven aan een meisje met een lieve glimlach.

Zonder bier was hij nergens. Hij was doodverlegen, vaak wist hij zich met z'n houding geen raad. Maar met een paar glazen op durfde hij dingen die niemand in zijn familie deed.

Wat was hij tekeergegaan op dat feestje laatst, bij iemand thuis. Aan het einde van de avond had hij, stomdronken, het Mariabeeld van de wand gehaald en was hij op de schoorsteenmantel geklommen. Hij had Maria diep in de ogen gekeken en een verhaal afgestoken dat hij nooit meer zou kunnen navertellen, maar waarom iedereen verschrikkelijk had moeten lachen. Hij raaskalde maar door. 'Heilige Maria, bid voor ons, want wij genieten de zonde en weten niet wat wij doen...'

Het was op zulke momenten alsof hij boven zichzelf zweefde, los en bevrijd van alles wat hem door pa verboden was. Hij hoefde niet langer naar woorden te zoeken. Keek iedereen recht in de ogen. Werd niet meer gehinderd door de gedachte aan wat de mensen van hem zouden denken. Alles durfde hij te zeggen – zelfs tegen de meisjes die hem zo snel deden blozen.

Natuurlijk ging het daar allemaal om, uiteindelijk: om de bewonderende blik van de meisjes. Aandacht wilde hij, véél aandacht. En dan zoenen, heel voorzichtig zoenen.

Jan was knap, zijn krul zat altijd goed, die kon elk meisje zo krijgen. Maar hij moest het hebben van zijn verhaal en zijn humor. Hij moest rode sokken aandoen om gezien te worden.

Het was allemaal de schuld van Bill Haley. Hij was een jaar of veertien, toen hij op een middag met Toos en zijn nicht Rie Ruijter mee mocht naar *Rock Around the Clock* in de bioscoop in Wormerveer. De film had overal al veel opschudding veroorzaakt. 'In sommige steden mocht de film niet vertoond worden', vertelde Toos. 'Daar gingen jongeren de straat op. Ze riepen: "Wij willen rock-'n-roll!" In Gouda is ie zelfs zonder geluid gedraaid, kun je je voorstellen?!'

Nu draaide *Rock Around the Clock* eindelijk ook in de Zaanstreek. Toos en Rie hadden zich opgetut en hij ging gewoon in zijn korte broek. Hij kwam niet vaak buiten het dorp, aan de overkant van de Zaanbrug. Ook in de bioscoop was hij zelden geweest. Hij kon zich weinig voorstellen bij de 'hippe muziekfilm' waar Toos over sprak. Thuis hadden ze geen grammofoon. Ze luisterden bijna nooit naar muziek.

De bioscoop was afgeladen vol geweest. Ze konden nog net een plekje vooraan vinden. Hij kreeg een stijve nek van het omhoogkijken. Toos kneep wel twee keer hard in zijn arm, zó mooi vond die het. Misschien, dacht hij achteraf, had hij zelf de hele tijd zijn mond open gehad, maar omdat het donker was had gelukkig niemand dat gezien.

Toen hij de bioscoop uit kwam, hadden het zonlicht en de zondag even alles verpest. Maar nog lange tijd kon hij, als hij zijn ogen sloot, de opwaaiende rokken van de dansende meisjes zien, het vreemde, opwindende ritme van de rock-'n-roll horen.

Zijn moeder stond te koken. Ze was alleen in de keuken. Dat was het beste moment om het haar te vragen. Als de anderen meeluisterden, had hij geen schijn van kans.

Moe wilde niemand voortrekken. Ze waren 'allemaal gelijk en recht', zei ze. Met Sinterklaas lette moe er goed op dat niemand een groter cadeau kreeg dan de rest. Voor de jongens die in leeftijd dicht bij elkaar lagen, kocht ze vaak precies hetzelfde. Een speculaaspop of iets anders lekkers, plus een boek of een stel nieuwe sokken. Eén keer hadden ze een stoommachine gekregen. Maar die was voor alle jongens samen.

Het lag daarom moeilijk wat hij wilde vragen. Toch liep hij naar de keuken, waar moe net vijftien gehaktballen braadde. 'Moe, Jan en ik willen een bandrecorder voor Sinterklaas. Er is bijna nooit wat leuks op de radio. We moeten liedjes opnemen.'

Zijn moeder keek hem verbaasd aan. 'Een bandrecorder?'

'Ze hebben ze bij Piet de Wit in het dorp.'

'Het is wel een groot cadeau', zei moe. 'En dat voor jou en Jan alleen.' Ze draaide de gehaktballen om. Hij bleef staan dralen in de deuropening. 'Enne... ik kom deze week niet uit met m'n zakgeld, moe. Pa geeft echt veel te weinig. M'n sigaretten zijn nu al op.'

Moe keek even om zich heen. Er was niemand thuis. Ze trok een lade open en pakte haar huishoudportemonnee. 'Hier, een gulden. Niet tegen je vader zeggen.'

Hij lachte naar haar. Ze lachte terug. 'Ga toch wat doen, sufferd', zei ze.

Moe hielp hem, altijd. Soms, als hij écht geld te kort kwam, pakte hij zelf wat uit haar portemonnee. Dat wist ze best. Maar ze zei er niks van.

Zou hij haar lievelingetje zijn? Hij herinnerde zich hoe hij, als kind, vaak een aai over zijn bol kreeg van moe. Dan zat hij op het bankje voor het raam, naast zijn broertjes, en streek ze even over zijn haar. Bij de anderen deed ze dat niet. Ze pikte hem eruit. Omdat hij er zo lief en verlegen uitzag? Het kon ook verbeelding zijn. Misschien was het moe's talent dat ze hun allemáál het gevoel kon geven dat ze haar het meest lief waren.

Ze kregen hun bandrecorder voor Sinterklaas. Hij had het al meteen gezien toen pa met de zware tobbe binnenkwam, nadat ze lang hadden gezongen en moe vanonder haar schort nonchalant wat pepernoten de kamer had in gestrooid – in de veronderstelling dat niemand dat zag. Boven op de stapel cadeautjes lag een groot, langwerpig pak. 'Voor jullie allemaal', stond erop geschreven.

Het logge apparaat paste net op het plankje boven het dressoir. Elke avond plakten Jan en hij, neus aan neus, hun oor tegen de speakers van de radio. Het was niet eenvoudig om een goed nummer te vinden. Alleen op radio Luxemburg werd nog weleens wat leuks gedraaid, verder was er weinig muziek voor jongens zoals zij.

'SSSSSST, WE ZIJN AAN HET OPNEMEN', sisten ze naar hun kleine broertjes wanneer ze eindelijk iets van Elvis Presley, Little Richard of Fats Domino hadden gevonden – want de nieuwe bandrecorder kon alleen alle geluid registreren, of niks.

'KOP HOUDEN!'

En dan hield de hele familie de adem in en klonk vanaf het dressoir zacht *Love Me Tender*.

Hij sliep met alle jongens op zolder en deelde zijn bed met Jan. Op een nacht, hij was een jaar of zestien, kon hij niet slapen. Martien had weer eens liggen zingen; die zong zichzelf altijd onder zeil. Daarna had een van de jongens met veel geklater in een pot staan pissen. De po's zouden wel weer bijna overstromen morgenochtend. Ze moesten de ijzeren potten van moe zelf legen, in de wc beneden in de schuur. Maar meestal hadden ze geen zin om zo ver te lopen en gooiden zij ze vanaf het platte dak leeg in de sloot – tot grote ergernis van de buurvrouw.

Niet veel later was het stil geworden. Vreemd eigenlijk, dat hij niet wist of zijn broers het met zichzelf deden. Hij merkte er nooit wat van. Behalve die ene keer dan dat hij door het sleutelgat had gekeken toen Jos op de wc zat, maar dat was alweer jaren geleden. Jos zat er al een tijd op, hij was benieuwd geweest wat zijn broer uitvrat. Hij was zich rot geschrokken. Zo'n grote piemel als Jos had.

Piet draaide zich nog eens om. Het was koud op de zolder, de ijspegels hingen aan het dak. Ze sliepen onder dikke dekens en leren jassen. Opeens voelde hij Jan bovenop zich. Jan omhelsde hem, duwde zijn tong in zijn mond. Hij sloeg hem van zich af. 'Sodemieter op, man!' Jan mompelde wat en rolde terug naar zijn kant. Zijn broer was in diepe slaap. Goh, dacht hij, zo kon je dus ook nog zoenen.

Hij hoorde Jan er later nooit meer over. Over de meisjes, de muziek, de nachten dat ze zo laat thuis kwamen dat pa de deur al op slot had gedaan en ze samen, via de regenton, het platte dak en de slaapkamer van Maarten, zo stil mogelijk naar binnen slopen.

Misschien had het allemaal niet zo'n indruk gemaakt op Jan. Die kreeg ook al snel verkering en vertelde dat het bij zijn meisje thuis veel leuker was dan bij hen. Maar zelf herinnerde hij zich de jaren tussen zijn zestiende en zijn negentiende als één grote, zoete kermis – een feest dat alleen werd verpest door zijn vader, die zei dat Elvis zondig was.

Jo, Jos, Toos en Maarten hadden altijd precies gedaan wat pa van hen verwachtte. Maar toen híj zeventien werd, eind jaren vijftig, was het, zeker voor een werkende jongen, gewoonweg onmogelijk geworden te doen alsof alles bij het oude zou blijven. Goddomme, als je zag hoe Elvis Presley zijn heupen bewoog, als je wist wat je allemaal durfde na vijf glazen bier, als je telde hoeveel mooie meisjes je had gekust en als je bovendien de krant las, om je heen keek en opmerkte dat er in het duffe dorp Wormer steeds meer auto's en televisieantennes kwamen en een echte snackbar bovendien: dan kon je toch alleen maar geloven dat alles beter en ánders zou worden? Dan kon je in elke glimlach van een meisje op straat, in iedere nieuwe klant die je binnenhaalde, in elke grindtegel die je méér verkocht, toch alleen maar een fantastische belofte zien?

Hij voelde zich overmoedig. Voor het eerst begon hij te geloven dat iets van al zijn fantasieën misschien wel waar kon worden.

Hij was de dromer, het mollige, rossige jongetje met sproeten dat op alle jeugdfoto's zijn mond half open had. Alsof hij steeds stomverbaasd was.

In zijn ledikant kon hij uren liggen fantaseren. Ooit was het bedje mooi wit geweest. Maar in de loop der tijd was de verf afgebladderd. De zwarte ondergrond kwam tevoorschijn. In de patronen die zo op het hout ontstonden, zag hij prachtige figuren. Tovenaars, wolken, engelen en duivels met grote hoorns op hun hoofd.

Als kind was hij het liefst op het erf. In de uitgestrekte boomgaard, de enige plek waar hij alleen kon zijn, droomde hij zich de held van zijn eigen verhalen. Er was een tijd, hij was een jaar of negen, dat hij profvoetballer wilde worden. Elke dag sprintte hij op zijn klompen heen en weer tussen twee appelbomen. Hij koos één boom uit waar hij de bal tegenaan moest trappen, nu of nooit, en ja hoor – raak! Zelfs met dat slappe, goedkope balletje van hem. En nog een keer: raak!

Soms rende hij alvast een ererondje, terwijl een stem in z'n hoofd echode: 'Piet Koelemeijer heeft een dodelijk schot!' Het leek dan of de appelbloesem als een lauwerkrans op hem neerdaalde.

Hij was de eerste die, na lang zeuren bij zijn moeder, op de katholieke voetbalclub wsv mocht. Nu zou hij ze eens wat laten zien. Maar hij scoorde niet. Hij scoorde nooit meer. Hij kon niet wennen aan de noppen onder zijn nieuwe voetbalschoenen, aan de harde bal, aan de vele ogen van de anderen.

Na een half jaar keerde hij terug in de boomgaard, waar hij warm werd onthaald.

Hij had erover gelezen in een boekje. Over een jongetje dat met een vlot over de wereldzeeën voer. Hij wilde ook varen. In de boomgaard had hij naast de sloot een oude, halfdode iep zien staan. Van die boom zou hij zijn vlot maken.

Niemand mocht het weten. Als ome Jo erachter kwam, zou hij ongenadig op zijn lazer krijgen. Hij zou achter hem aanrennen, ome Jo, hij zou proberen hem een klap te verkopen en daarna zou ie klagen dat 'die jongens nog eens zijn dood zouden worden'. Een boom omzagen was een doodzonde, iets heel verschrikke-lijks dat je niet kon goedmaken met een paar weesge-groetjes.

Elke middag sloop hij met een zaag onder zijn blouse naar de boomgaard. Het was een dikke boom, zijn zaag klein en bot. Het kostte hem maanden. Steeds een half uurtje, steeds een centimeter. Tot de iep, eindelijk, met veel lawaai in het gras viel.

Hij zaagde de boom in tweeën. Spijkerde planken tussen de dikke balken. De blaren stonden op zijn han-den. Maar in zijn dromen voer hij iedereen al voorbij. Zwaaiend, roepend, de held van het erf.

Na een half jaar was zijn vlot klaar. Het zag er prach-tig uit. Op een zomermiddag duwde hij hem, met bon-kend hart, in het water. Zou ie? Voorzichtig zette hij zijn voet erop. Het vlot verdween meteen in de bagger.

Hij liet het vlot drogen. Hij bond nog meer planken op de balken. Maar niets hielp. De halfdode boom was nog te nat en te zwaar. Zijn vlot zonk als een baksteen.

Toch was dat nog niet het ergste. Het ergste was dat twee dagen later zijn buurjongen, Piet Betjes, fluitend op een vlot voorbij voer, dat was gemaakt van twee olie-vaten en een paar planken. Hij moest het op een achter-namiddag in elkaar hebben gezet.

Tot zijn veertiende was er geen ruzie of rottigheid. Hij herinnerde zich het leven op hun familie-erf als één grote idylle. Het leek alsof hij eindeloos verstoppertje speelde, hutten bouwde of voetbalde. 's Ochtends in alle vroegte rende hij al met een stuk of acht jongens het land in om ome Jo te helpen bij het melken. Het was nog koud, het gras was nat, ze stonden te rillen in hun kor-te broeken. Maar ze maakten geintjes en sleepten met melkbussen en ome Jo zei dat het 'prachtig was dat ze voor zevenen klaar waren'.

Of hoe ze 's avonds met z'n allen aan tafel zaten. Ze luisterden naar *De familie Doorsnee* op de radio. Dron-ken warme chocolademelk, stopten houtjes in de kachel. Of zaten zomaar wat te lachen en slap te ouwehoeren. Ome Jo kwam langs en gooide een zak met pelpinda's op tafel. 'Hier jongens, vreet maar lekker op.' Die pin-da's waren eigenlijk voor de koeien, maar zij vonden ze ook heerlijk.

Ze hadden het gezellig zonder elkaar goed te kennen. Maar anders was het ook niet zo gezellig geweest.

Later liet hij voor zijn eigen villa net zo'n lange tafel maken als ze in de jaren vijftig thuis hadden gehad. Er pasten vijftien stoelen omheen. Hij verlangde soms weer naar een groot gezelschap, een gezelschap dat hem net zo vertrouwd was als zijn eigen familie. 'We openen hier een restaurant', riep hij dan jolig. 'En ik ga in m'n tuin een gastenverblijf bouwen.' Hij wist alleen nog niet wie er allemaal aan zijn tafel moesten zitten, of wie er in de vele bedden zouden willen slapen.

Hij droomde er op zijn twaalfde níet van om tuinman te worden. Maar ome Gerrit zat in het bestuur van de nieuwe katholieke landbouwschool en had nog één leerling nodig om zijn school te kunnen beginnen. 'Die Piet van jou', had hij tegen pa gezegd, 'is het niet wat voor hem?'

Zijn vader was altijd druk, buiten of weg. Er waren nooit ogen geweest die op hem letten. Maar nu was hijzelf ook tuinman en ging hij met zijn vader mee, stond hij de hele dag naast hem te schoffelen of te spitten. Pa zei dat hij de wilgen te kort terugsnoeide of het gras juist te lang liet, dat hij te slordig met zijn gereedschap omging of het aantal verkochte rozenstruiken niet goed had geteld. 'Je denkt zeker dat het geld op mijn rug groeit.'

Hij werkte zes dagen in de week, voor twee gulden vijftig. Dat was lang niet genoeg om bier en sigaretten van te kopen. Samen met Jan bond hij de strijd aan, avond aan avond. 'We moeten meer verdienen pa, we werken er hard voor.' Maar pa wilde er niets van weten. 'Die anderen zeuren toch ook niet.'

Met de anderen bedoelde hij Jo, Toos en Maarten. Maar hoe kon hij zichzelf met hen vergelijken? Maarten was precies als pa. Die haalde alle spijkers uit een oude plank, alsof het goud was.

Ze hadden koffie gedronken bij een klant en pa bleef, zoals vaker, nog even zitten. Piet zorgde ervoor dat hij in de buurt van het open raam moest schoffelen. 'Mijn oudste zoon Maarten studeert in Amsterdam', hoorde hij pa zeggen. 'En Jan en Piet zijn ook zulke harde werkers. Piet heeft laatst in z'n eentje een heel flatplein betegeld, op z'n knieën, hij is razendsnel, die jongen.'

'Goh', zei de klant, 'u hebt het maar getroffen met zulke zoons.'

'Nou en of', zei pa.

Hij wist niet of hij nu trots moest zijn, of nog kwader op zijn vader dan hij heimelijk al was.

'Zou je die takken niet eens opruimen', zei pa toen hij was uitgepraat en weer naar buiten kwam.

Op een avond in mei, de maand van Maria, moesten ze zoals altijd na het eten met z'n allen voor een stoel knielen om de rozenkrans te bidden. Pa bad voor. 'Wees gegroet Maria, vol van genade, de heer is met u, gij zijt de gezegende onder de vrouwen...' Iedereen dreunde hem na. Piet wilde ook zijn mond opendoen, maar hij merkte dat hij de woorden niet over z'n lippen kreeg.

Als kind was hij oprecht katholiek geweest. Hij ging soms vijf keer in de week naar de kerk omdat zijn moeder dat zo goed vond; hij hield van de schilderijen van de kruisweg, de jubelende samenzang in de mis. Er waren nachten geweest dat hij uit het diepst van zijn hart had gebeden voor een nieuwe voetbal. Maar nu? Wat was nog de zin van de hele riedel?

Het bidden van de rozenkrans duurde wel een half uur. Hij tuurde tussen z'n oogharen door naar Jo, die hardop meebad. Ook Maarten hoorde je overal bovenuit. Vijf keer tien weesgegroeten en vijf onzevaders. In de hoek bij moe begonnen de kleintjes te klieren. Guus trapte een balletje weg, Frans stootte tegen Marian aan. Moe siste iets naar hen.

Pa kreeg het nu ook in de gaten. Hij keek het rijtje af. Zijn ogen bleven hangen bij hem. Bidden, Piet, zeiden de ogen. Maar hij hield zijn mond. En het kon hem niet schelen wat God of pa ervan dacht.

'Kom eens Piet, ik wil je wat laten zien.' Pa riep hem zomaar. Wat zou ie nu weer willen. 'Kom eens boven, joh.'

Uit een zware, metalen kist in de slaapkamer haalde pa een stapel papieren tevoorschijn. 'Dat zijn papieren aan toonder, Piet, daar krijg ik een hoop rente op, zie je dat?' De vellen waren duizend gulden per stuk waard. Er lagen veel van die vellen in de kist. Piet kon ze niet tellen. Zijn vader wilde zeker laten zien dat hij iets goeds deed met het kapitaal dat ze verdienden. En dat hij dus niet moest zeuren om meer zakgeld.

'Dat is heel mooi, pa. Heel mooi.'

Snel liep hij de kamer uit. Hij wilde het niet geloven. Altijd had zijn moeder hem verteld dat ze moesten werken zodat zijn broers konden studeren, en wat deed pa met het geld, met zíjn geld? Ging hij daarvoor om vijf uur 's ochtends met die rotkranten langs de deuren, kreeg hij daarom maar $f2,50$ zakgeld, terwijl zijn krantenwijk alleen al $f27,50$ per week opbracht?

Die tweehonderdentwee klotekranten! Soms zag hij ze, als hij was doorgezakt, al op de Zaanbrug liggen als hij naar huis ging. Vooral maandagochtend was een ramp. Dan vroeg hij vaak of Gerard voor hem wilde gaan, die op het St. Michaël College zat en een proostleventje had.

'Gééérard, ben je wakker? Twee kwartjes als je m'n kranten doet.'

'Rot op, het is vijf uur! Ik lig lekker.'

'Gééérard, een piekie dan, een piekie.'

'Ik slaahaap!'

'Een half pakkie shag erbij.'

'Oké dan.'

Zo was hij vaak al de helft van zijn zakgeld kwijt voordat de week begonnen was. En waarvoor? Zijn vader potte het op, als een oude vrek!

Misschien kwam het door Jos, dat pa zo streng was geworden. Pa kon niet verkroppen dat zijn oudste zoon, voor wie hij zoveel had over gehad en van wie hij zoveel had verwacht, er niet meer was.

Hij zag het soms wanneer pa en moe visite hadden. 'Gelukkig hebben jullie er nog twaalf', werd er gezegd. Maar dan zeiden pa en moe niets.

Voelde pa zich gestraft? Schuldig? Had hij God daarom beloofd dat hij nóg zuiniger zou leven, nóg vromer zou zijn?

Het was een geluk dat zijn vader ziek werd. Toen konden Jan en hij de zaak min of meer overnemen. Pa had ischias, dacht de dokter. Hij moest op harde zandzakken liggen in de voorkamer en zijn heup goed warm houden. 's Nachts, wanneer pa dacht dat niemand hem hoorde, lag hij te kermen. Het was 1959, Piet was zeventien en kon er niet van slapen. Hij hoorde zijn vader draaien, jammeren, bidden om hulp.

Later bleek dat het geen ischias was, maar een infectie. Pa had bloedvergiftiging, hij moest naar het ziekenhuis en daarna zeker vier maanden rust houden. Jan en hij hadden net een grote klus aangenomen in Bergen, voor een deftige Amsterdamse tuinarchitect. Elke ochtend vertrokken ze in alle vroegte. Op de provinciale weg, tussen Krommenie en Alkmaar, bonden ze hun brommer met een koetouw voor de bakfiets en zo scheurden ze met hun spullen naar de meisjesschool van Bergen, waar een nieuwe tuin moest worden aangelegd.

Daar, in die tuin, zonder de ogen van zijn vader in zijn rug, zag hij voor het eerst wat een tuin nog méér kon zijn dan een grasveld met drie berken op de hoek. 'Die klimop', zei de architect, 'laat ik niet tegen de muur groeien, maar over de grond.' Ze hadden het eerst niet begrepen. Klimop, op de grond? 'Welja, waarom zou ik weer zo'n saai grasveldje maken', zei de architect.

Piet trok de struiken uit elkaar en pinde elke tak met een ijzerdraadje vast in het zand, zodat ze niet in elkaar grepen maar mooi uit zouden groeien. Een golvende zee van groen werd het, die langzaam overliep in de duinen. Ze zetten er vingerhoedskruid in, voor het contrast. En ze maakten romantische slingerpaadjes, die verdwenen in de verte.

Hij had de afgelopen jaren steeds vaker getwijfeld. Moest hij nu zijn hele leven harken, sjouwen, tegels leggen? Maar een tuin ontwerpen, iets moois en dromerigs maken om met je meisje in te wandelen: ja, dat wilde hij ook wel.

'Wat voeren jullie toch allemaal uit in Bergen', had pa gemopperd vanaf zijn ziekbed. 'Jullie zijn al weken bezig.'

'Ach laat die jongens toch', zei moe, 'ze werken hard.'

❖

Moe zat op haar stoel voor het raam. Het was al donker, maar de gordijnen waren nog open. Piet keek naar binnen. De kamer zat vol familievisite. Er werd gedronken, gerookt, gelachen. Moe hing scheef op haar stoel. De kussentjes in haar rug waren verschoven, maar dat had niemand in de gaten gehad.

Hij wilde naar binnen gaan. Iets zeggen als: 'Moe nog zo laat wakker? Moet ze niet eens naar bed?' Maar hij bedacht zich. Niet mee bemoeien. Beter niets te zeggen.

Ze spraken zelden over moe. Hij zag zich al een intiem gesprek beginnen met Nico. Of met Marian, aan wie hij nog nooit wat had gevraagd. Zelfs met Jan, Guus en Martien had hij het er niet over. Ook al belden ze elkaar bijna dagelijks over de zaak. Hij had veel broers en zussen, maar hij stond alleen in zijn opvattingen. Lucie was de enige aan wie hij alles kon vertellen wat hij dacht.

Hij liep naar achteren, het tuincentrum op. Het was vlak na kerst. Ze hadden het nog drukker gehad dan vorig jaar. Elke dag weer waren honderden mensen samengedromd om bakken met paarse ballen en slingers met knipperlichten. Ze hadden hun karren volgeladen met plastic miniboompjes, nepcadeautjes op een stokje of engelen die konden zingen. Het maakte niet uit hoeveel het kostte, want het was kerst en dan moest het gezellig zijn.

Nu bood het tuincentrum – 'Uw Hof van Heden' – een desolate aanblik. Voor de ingang wapperden twee kapotte kerstklokken in de wind. In een hoek riep een kartonnen kerstman *Merry Christmas*.

Vier jaar geleden had hij hier ook gestaan, nadat hij zijn moeder doodziek in bed had gevonden. Het was op een donkere decemberochtend eind 1988, rond een uur of tien. De gordijnen van moe's slaapkamer waren nog steeds dicht, had hij gezien. Dat vond hij vreemd. Zijn moeder sliep nooit uit. Hij pakte de sleutel uit de schuur en sloop voorzichtig de trap op, hij wilde haar niet laten schrikken.

Moe lag in bed met haar muts op. Een bruine, wollen muts. Dat deed ze wel vaker als ze zich niet lekker voelde. Bij pijn moest je de boel warm houden, dan ging het vanzelf over. Ze mompelde dat ze hoofdpijn had. Hij stond een beetje onwennig naast haar. Hij had zijn moeder bijna nog nooit in bed zien liggen. Alleen vroeger, wanneer ze weer een baby had gekregen. Hij vroeg of hij de dokter moest bellen.

'Alsjeblieft niet', zei ze. 'Géén dokter, hoor.'

Hij had geaarzeld. Ze was toch echt goed ziek, zei hij. Maar ze herhaalde nog twee keer: 'Ik wil geen dokter. Laat mij maar lekker liggen. Ik wil géén dokter.' Hij was naar huis gegaan, had met z'n vrouw Lia koffie gedronken. Hij moest de hele tijd aan moe denken. Hij was er niet gerust op.

'Bel jij Jo eens', zei hij uiteindelijk.

'Jo?!', zei Lia. 'Die bel je nooit!'

'Ja, maar Jo is de oudste. Die moet nu ook maar de wijste zijn.'

Later had hij nog vaak aan dat moment terug gedacht. Was het goed geweest wat hij had gedaan? Of had hij zijn moeder rustig moeten laten liggen, zoals ze van hem vroeg. Had hij haar verraden, overgeleverd aan Jo en de dokter. Moest hij zich schuldig voelen.

Moe had hem altijd in bescherming genomen. 'Ssst, je vader slaapt', zei ze als hij 's nachts veel te laat binnen kwam. 'Ik zal niks zeggen, ga maar snel naar bed...' Maar nu ze hém een keer vroeg om zijn mond te houden, had hij alle bellen laten rinkelen.

Hij kon er wakker van liggen, in de nachten dat hij op moe paste. Eindeloos in gesprek met zichzelf. Hij had zijn moeder toch niet aan haar lot kunnen overlaten. Wat had hij anders moeten doen. En ook daarna, toen ze naar het ziekenhuis werd gebracht en Jo en Maarten toestemming gaven voor een hersenoperatie. Hij twijfelde toen of dat wel het beste was voor moe. Maar wat had hij kunnen doen. Er werd niet over vergaderd. Het was besloten voordat hij er erg in had. En al hadden ze overlegd. Ze waren met z'n twaalven, ze hadden nooit eensgezind een beslissing kunnen nemen. En er wás toch goede hoop dat moe beter zou worden na de operatie. Of hadden ze nooit moeten toestaan dat ze moe's hoofd openmaakten. Die klotedokters, die probeerden te lijmen wat niet te lijmen viel, waardoor ze nu met de brokken zaten. Ja, had hij misschien toch het lef moeten hebben zijn moeder in bed te laten liggen, met haar muts op, tot God haar kwam halen?

Kijk wat er van moe geworden was! Nu ze begon te dementeren, had ze het gelukkig niet meer zo in de gaten. Maar in de eerste jaren was ze razend geweest. Daarom sprak ze toen ook niet meer. Ze was echt niet gek of dement, ze verdomde het gewoon om nog wat te zeggen. Moe had alleen maar gedacht: wat een rotzakken allemaal dat ze me dit nog aandoen. Hij zag het in die tijd in haar ogen, wanneer hij haar voerde, omdraaide in bed, koffie gaf. Val dood, zeiden die ogen.

Goddank hoefden ze haar nu niet meer op het toilet te zetten, zoals in het begin. Moe droeg ook toen al de hele dag een luier. Maar de verpleegsters leek het goed om haar één keer per dag zelf naar het toilet te laten gaan. 'Uw moeder moet in beweging blijven', zeiden ze.

Hij zag zichzelf weer gaan, met zijn moeder om zijn nek. Ze kon amper op haar benen staan, hij was bang dat ze zou vallen. Ze konden niet samen door de deur. Ze was nog dik en het toilet was krap. Hij zette haar op de pot en probeerde haar panty naar beneden te trekken. Hij had haar nog nooit naakt gezien. Ze duwde krampachtig haar benen tegen elkaar, waardoor hij de panty niet naar beneden kreeg. Hij moest kracht zetten. Ze is het hopelijk zo weer vergeten, dacht hij alsmaar, ze is het hopelijk zo weer vergeten.

Al snel had hij haar stoel op wielen laten zetten. Zijn moeder reed nu op haar fauteuil door de kamer, van haar bed naar het raam en weer terug. Veel werk hadden ze er niet meer aan. Sinds kort legde de wijkverpleegster moe 's avonds in bed. Goddank hoefde hij niet zelf meer te worstelen met haar bh en broches. Hij had grote werkershanden, hij kreeg haar sieraden nooit los. Op een avond was hij zo kwaad geweest, dat hij had gedacht: ik haal een nijptang, knip dat gouden ding kapot en gooi 'm in de vuilnisbak.

Maar zijn moeder moest er mooi bij zitten. Alsof er niets aan de hand was.

Vanmorgen was ze opgewekt. Lekker thee, pap en pro-teïnen. Wijkverpleegster kwam om 9 uur. Om 9.45 uur kant en klaar op de troon, de koninklijke hoogheid... 'Ik heb Guus nog even gesproken moe, hier op het erf', zei ik. Een big smile verscheen om de mond. Ze is uit-stekend op het ogenblik. (Toos, 18 november 1992)

Moe werd met eindeloos geduld gevoed, ingesmeerd, gedraaid, gewassen. Niemand wilde voor elkaar onder doen. Al zijn broers en zussen hadden, op hun eigen ma-nier, het beste met haar voor. Maar waarom leek nie-mand zich af te vragen wat de zín ervan was?

Hij zag het gezicht van zijn moeder plotseling scherp voor zich. De verdrietige trek om haar mond, haar ma-gere, kleine, lieve hoofd. Alles, alles zou hij voor haar willen doen.

Hij deed het laatste licht uit op het tuincentrum en liep naar huis. Gelukkig was ook bij zijn moeder alles don-ker nu.

Gaf God haar, liefst vannacht nog, maar een lift; een enkele reis naar pa. Maar er was iets, hij wist niet wat, dat haar vasthield. Alsof ze bang was hen alleen te laten. Of wilden zij haar nog niet laten gaan?

6 Nico [1943]

'U bent nu net zo'n slechte eter als ik vroeger was, moe.'
Hij probeerde zijn moeder met een lepeltje te voeren.
Maar ze hield haar lippen stijf op elkaar en keek hem
strak aan. 'Kom, u hield toch altijd zo van eten?' Ze
draaide haar hoofd weg.

In de keuken pakte hij de plastic injectiespuit. 'Als je
moeder niet wil eten', had de verzorgster gezegd, 'pak
je maar de spuit. Dat werkt heel goed.' Voorzichtig
duwde hij haar mond open en spoot wat gepureerde
aardappelen met spinazie naar binnen. Ze probeerde de
spuit met haar tong terug te duwen. Hij spoot nog even
door. Nu moest ze wel slikken.

Het was warm, hij deed zijn jasje uit. Moe staarde naar
buiten. Hij spoot nog een hap in haar mond. Ze slikte.
'Dat vindt u toch lekker, spinazie?' Haar ogen bleven
hangen aan de zijne. Het leek of ze door hem heen keek.
'Toe, nog één hapje, moe.'

Hij dacht aan het gesprek dat hij laatst had gehad
met zijn huisarts. Er moest een splinter uit zijn duim
worden gehaald en hij had de gelegenheid aangegrepen
om over moe te praten. Zijn huisarts schreef een proef-
schrift over versterven. Hij wilde weten of het pijn deed,

zo'n dorst- en hongerdood, hoe lang het duurde. De dokter had hem verzekerd dat de patiënt niet leed. 'Uw moeder zou langzaam wegglijden, als in een coma.'

Met zijn broers en zussen had hij er verder niet over gesproken, maar hij had de mogelijkheid in zijn achterhoofd gehouden. Als zijn moeder echt niet meer wilde eten of drinken, had hij gedacht, konden ze er misschien voor kiezen haar zo, op een natuurlijke wijze, te laten sterven.

Maar nu was dus besloten haar met een spuit te voeden. Zo ging het steeds. Ze konden niet overal met z'n twaalven over vergaderen. Lucie en Toos namen, in samenspraak met de verzorgsters, de meeste beslissingen. De anderen kwamen één keer in de tien, veertien dagen op moe passen en lazen in het logboek hoe het ging. Hij liep achter de feiten aan. Nu kon hij toch niet meer over versterven beginnen?

De spuit was leeg. Moe had haar ogen dichtgedaan. Het was mooi weer buiten. Jammer dat hij het raam niet open kon zetten, vanwege de tocht. Moe was, na vierenhalf jaar ziekte, erg mager geworden. Er was nog weinig over van haar ooit zo ferme boezem, haar mollige armen, haar rode, zachte wangen. Een koutje kon fataal zijn.

'Magere hekkenspringer!', zei hij lachend tegen haar. Dat was zijn eigen bijnaam geweest vroeger. Hoe ze aan hekkenspringer kwamen, wist hij niet. Maar dat hij mager was, klopte wel.

Het moest voor zijn vierde jaar al begonnen zijn, want hij kon zich niet herinneren dat hij ooit wel gewoon had gegeten. Hij lustte alleen pannenkoeken, brood met kaas of een gebakken eitje, fruit, broeder, sperziebonen en appelmoes. Wanneer iedereen 's avonds aanviel op het eten, zat hij het liefst in zijn hoekje op de speelgoedbank. Wel erbij, maar toch apart. Na het dankgebed gaf zijn moeder hem in de keuken een broodje, of haalde ze een weckfles met appelmoes voor hem uit de kelder.

Soms rammelde zijn maag. Maar hij was koppig. Hij weigerde te eten, zeker tot zijn twintigste.

Moe dwong hem tot niets. Ze zei nooit: 'En nu blijf je net zolang zitten tot je het op hebt.' Vaak hield ze speciaal voor hem een pannenkoek achter. En toen de schooldokter dreigde dat hij naar een vakantiekolonie moest om aan te sterken, nam ze het voor hem op: 'Ach dokter, onze Nico is nooit ziek, ik denk niet dat het nodig is, hoor.'

Misschien was het een schreeuw om aandacht geweest. Hij schrok van de gedachte. Was het zo erg? Hij kon bijna niet geloven dat hij zich vroeger kennelijk zo eenzaam had gevoeld, zo verloren te midden van velen, dat hij, net als een hongerstaker, in het weigeren van voedsel de laatste mogelijkheid zag om zijn ongenoegen kenbaar te maken. En dat hij zo de schaarse liefde van zijn moeder probeerde af te dwingen.

Moe had haar ogen weer opengedaan en staarde hem aan. 'Het is toch wat, hè moe', zei hij om iets te zeggen. Even leek het of er een glimlach speelde om haar lippen. Hij stond op en legde zijn hand op haar arm. 'Wilt u koffie?' Hij dacht dat ze knikte.

Praten deed ze nu bijna helemaal niet meer. Ze kón het nog wel, dat wist hij zeker. Nooit vergat hij die ene avond dat Jan belde vanuit zijn huis in Oostenrijk. Het was op haar verjaardag, ongeveer drie jaar nadat ze een hersenbloeding had gekregen. 'Wil je moe ook nog even?', had Gerard geroepen. 'Ze is zo spraakzaam vanavond!'

Gerard gaf de telefoon aan moe. Het was stil geworden in de kamer. Ze hoorden Jan aan de andere kant van de lijn praten.

'Ja hoor, alles goed hier', zei moe plotseling.

(...)

'Ik heb veel visite.'

(...)

'Doeg. Kijk je uit?'

Daarna werd de verbinding verbroken. Drie hele zinnetjes! Even was er verbijstering. 'Die moe,' riep Jo uit, 'u stelt ons steeds weer voor verrassingen.' Al snel sprak iedereen weer door elkaar heen, het voorval leek vergeten. Maar hij had er nog vaak aan teruggedacht. Waarom sprak moe wel aan de telefoon? Het moest een reflex zijn, besloot hij uiteindelijk. Zoals ze vroeger meteen naar de zwarte, bakelieten telefoon in de gang snelde als deze rinkelde, je wist immers nooit of het een klant was, zo had ze misschien ook nu het gevoel gehad dat ze iets moest zeggen.

Op eenzelfde manier voelde ze zich allicht verplicht te reageren op de verpleegsters die ze in huis hadden.

Mevrouw was veel aan het praten.

Zo schreef één van de verzorgsters een paar maanden geleden in het logboek, op 28 februari 1993. Terwijl ze tegen hem toen al tijden geen stom woord had gezegd. Ook dat was erin geramd natuurlijk. Altijd beleefd zijn tegen vreemden. Maar met haar kinderen, in haar eigen, vertrouwde omgeving, kon ze het heel goed zonder woorden stellen. Of was dat te positief gedacht van hem? Misschien sprak ze niet omdat ze gewend was dat er vroeger bij hen thuis vaak werd gezwegen. Hoe vaak had ze niet 's avonds stil sokken zitten stoppen, terwijl pa met zijn postzegels bezig was en de rest een boek las.

Anders dan vroeger, had hij nu vrede met de stilte. Het was heerlijk om een avondje rustig bij moe te zitten.

Ze keken samen tv, dronken koffie. Toen hij nog kind was, moest de aandacht altijd gedeeld worden. Hij kon zich niet herinneren dat hij ooit een uurtje alleen met zijn moeder was geweest. Maar nu had hij haar helemaal voor zichzelf.

Moe had al haar kinderen weer om zich heen verzameld. Dat was haar geschenk, een toegift op de valreep. Hoe vaak zag hij Jan nog, voordat moe ziek werd, of Marian? Ze waren uit elkaar gegroeid. De rollen lagen vast. Piet wilde altijd lachen, Maarten was zuinig en Jo zo naïef; het leek onmogelijk om nog van die oppervlakkige typeringen af te komen.

Maar nu kwamen ze elkaar op een andere manier tegen. Wie had ooit gedacht dat Frans zo geduldig met moe om zou gaan? Frans was een van de kleintjes. Die had vroeger vast nog minder aandacht van moe gehad dan hijzelf. Toch voelde Frans zich erg betrokken:

Ik heb net wat voorgelezen uit het Oude Testament. Ik dacht dat ze het wel leuk vond, maar toen ik vroeg of ik verder moest lezen, zei ze: 'Doe maar niet.' Misschien toch te vermoeiend. We zullen maar niet al te laat naar bed gaan. Ze blijft verder dommelen. Melk laat ze vrijwel onaangeroerd staan. Straks nog maar eens een keer proberen. Het valt niet mee, denk ik, om vrijwel onafgebroken in dezelfde houding te moeten zitten. Ze verroert of beweegt bijna niet. En het is nu pas 21 uur. Het is dus moeilijk om iets te praten. Wat voelt ze precies? (Frans, 23 maart 1989)

Het Oude Testament! En dat terwijl Frans, anders dan hijzelf, niet meer naar de kerk ging. Ook over Jan verbaasde hij zich soms. Jan was nogal stug en afstandelijk. Maar nu knuffelde hij moe het meest van hen allemaal.

'Zo hebt u het nadeel van een groot gezin toch nog een beetje kunnen opheffen, moe.' Ze keek hem niet-begrijpend aan. Maar hij meende het. Er was opeens aandacht in hun gezin. Aandacht van en voor hun moeder, aandacht voor elkaar. Terwijl hij vroeger zelden echt werd gezien of gehoord.

❖

Het was in de eerste klas van de lagere school. De juf had op het bord met kleurkrijtjes een Christushoofd getekend. Christus met lang haar en een doornenkroon. Als er iemand vervelend was in de klas, tekende ze er een doorn bij; een doorn die de arme Jezus extra liet lijden.

Op een middag dat ze eindeloos Aap-Noot-Mies hadden moeten schrijven, vloog er plotseling een propje door de klas. De juf zag het. Ze zette haar bril op het puntje van haar neus en keek hen een voor een indringend aan. 'Wie heeft dat gedaan?'

Ze ging met haar blik eerst over de voorste rijen, en vanaf daar langzaam naar achteren, waar hij zat. Hij was een mager jongetje met een spits, bleek gezicht en rode krullen. Zo gauw de juf hem aankeek, kreeg hij het warm, steeds warmer. Zijn wangen gloeiden.

'Nico Koelemeijer, heb jij dat misschien gedaan?'

'Nee juf.' Zijn wangen stonden nu in brand.

'Je hebt anders wel een kleur, Nico. Heb ik je betrapt?' De juf draaide zich om naar het bord. Ze pakte een rood krijtje en tekende met een ferme streep een nieuwe doorn in Christus' kroon. Het krijt piepte. Iedereen was muisstil.

Hij zorgde voor een doorn in het hoofd van Christus. Zijn hoofd moest nu vuurrood zijn. Om hem heen begonnen kinderen te giechelen. Vanaf het schoolbord staarde Jezus hem verwijtend aan.

Hij wilde wegrennen, ver wegrennen en nooit meer terugkomen. Maar hij moest blijven zitten, Aap-Noot-Mies schrijven en om half vier naar huis lopen, waar zijn moeder zoals altijd voor hen allemaal versgebakken brood met suiker had klaarstaan. Daarna moest hij een vaatje hout voor de kachel halen en ging hij nog even bij ome Jo bij het melken kijken. Alsof er niets was gebeurd. En toch was alles anders omdat hij overal het gezicht van de huilende Christus zag.

'Moe, juf geloofde me niet!', wilde hij zeggen toen hij de keuken binnenliep, waar zijn moeder stond te koken. Maar hij wist niet hoe hij over zoiets moest beginnen.

Jaren later had hij een reünie op de St. Jozefschool in Wormer. Hij kwam het lokaal in van de eerste klas en keek meteen naar het schoolbord. Nóg kon hij de schaamte voelen, de woede. Het onmachtige gevoel niet geloofd te worden, geen stem te hebben, geen recht van spreken. En helemaal alleen te staan. Hij werd al rood vroeger wanneer iemand hem in de ogen keek.

Keken ze elkaar ooit echt aan thuis? Soms dacht hij terug aan de begrafenis van Jos en probeerde hij de gezichten van pa, moe, zijn broers en zussen voor zich te halen. Werd er gehuild?

Hij zag alles weer voor zich: de pastoor, de kist boven het graf, de militairen die een eresalvo afvuurden. Maar de gezichten bleven lege vlekken. En dan dacht hij: waarom weet ik niet meer hoe we keken? Zágen we elkaar wel? Of vermeden we direct oogcontact – zoals de schuchtere Marian dat nog steeds deed.

Hij wilde timmerman worden, maar zijn vader zei dat hij te mager was om zware balken te sjouwen en spijkers recht te slaan. In Zaandijk was net het St. Michaël College opgericht; de eerste katholieke hbs in de Zaanstreek, waar al snel ook een gymnasium aan werd verbonden. Daar kon hij mooi naar toe.

'Nu treed jij in mijn voetsporen, Niek', had Maarten tegen hem gezegd. 'Het is een voorrecht om te studeren.' Maar hij voelde zich helemaal niet zo bijzonder. Maarten mocht op het Amsterdamse St. Nicolaaslyceum nog een uitzondering zijn geweest, een hovenierszoon te midden van kinderen van doktoren, in zijn klas zaten veel arbeiders- en middenstandsjochies. Hij was lang niet de enige met prutnagels.

Op een keer ging hij met een vriendje mee naar huis, de zoon van een fabrieksarbeider. Die man stond te vloeken op zijn baas. Zo had hij nog nooit iemand horen praten. Pa sprak juist altijd vol lof over de directeuren van Honig en de andere fabrieken aan de Zaan. Dat waren mannen in mooie pakken bij wie zij dure tuinen mochten aanleggen en die het wel het beste zouden weten.

Het was warm in het lokaal. De godsdienstles van pastoor Kat kon hem niet boeien. Net zat hij zo'n beetje weg te dommelen, toen pastoor Kat opeens zei: 'Jullie moeten de bijbel natuurlijk niet létterlijk nemen. Het is een prachtig verhaal vol waarheden en wijsheden, maar niet alles wat erin staat is ook precies zo gebeurd.'

Het werd stil in de klas. Hij voelde zich als een jongetje van zes dat zojuist had gehoord dat Sinterklaas niet bestaat.

Al die jaren had hij braaf zijn catechismus geleerd en al die jaren was het erin geramd: dat God de aarde schiep in zeven dagen, dat Mozes de zee deed wijken en dat Jezus de doden tot leven kon wekken. Hij had oprecht in wonderen geloofd. En nu vertelde pastoor Kat dat die hele fantastische geschiedenis misschien niet waar was.

De rest van het verhaal ontging hem. Hij staarde naar buiten. Zijn vader zou pastoor Kat vast niet aardig vinden.

De geschiedenisleraar kon goed vertellen. Op een dag zei hij: 'Wisten jullie dat de Verenigde Oost-Indische Compagnie de meest perfect georganiseerde dievenbende was die Nederland ooit heeft voortgebracht?' In de klas werd gelachen. 'Ja, lachen jullie maar. Nederland heeft zijn kolonie honderden jaren geplunderd!'

Hij moest denken aan zijn overbuurjongens. Die waren in Indonesië geweest vlak na de oorlog. Wat ze er hadden gedaan, wist hij niet. 'Ze moesten de politie een beetje helpen', had pa verteld. 'En toen ze thuiskwamen, haalden we hen binnen met bloemen en gebak. Ze waren onze helden en het was groot feest.'

Ze zaten met z'n allen aan tafel in de achterkamer. Een winteravond, 1962. Piet en Jan praatten over een grote klus die ze hadden aangenomen. Jo kletste eindeloos over het naai-atelier in Amsterdam. Een paar jaar eerder hadden zijn zussen van werk geruild. Toos had er genoeg van om vitrages te naaien, zei ze op een dag, ze kwam liever moe thuis helpen. Sindsdien ging Jo iedere dag naar het atelier van Weyers Woninginrichting.

Hij probeerde niet mee te luisteren. Wat kon het hem nu schelen hoeveel tegels zijn broers morgen moesten leggen. Of hoe leuk de chef was op het atelier. Hij las net *De Zaak 40/61*, het verslag van Harry Mulisch over het proces tegen de nazi Eichmann. Naast hem lag *Vrij*

Nederland, waar een interessant artikel van Van Rand-wijk in stond over het weinig heldhaftige gedrag van Nederlanders tijdens de bezetting.

'Weet u nog hoe dat ging, toen er Duitsers in de boer-derij van ome Jo zaten?', vroeg hij aan zijn vader.

'O, die bleven niet lang gelukkig', zei pa.

'Ik weet nog dat ze op hazen jaagden, achter in het land', zei Maarten.

'Verdomd, ik heb altijd gedacht dat ze op mij scho-ten!', zei Jan. 'Ik was doodsbang.'

'Greetje, dat kleine meisje van de overkant, was het lievelingetje van de Feldwebel', herinnerde Toos zich. 'Ze mocht altijd bij hem op schoot zitten.'

'Dat is waar ook!', riep Jo. 'Ik was al die tijd jaloers op Greetje.'

'En één van die Duitsers had een verrekijker, ik mocht er ook doorheen kijken en kon zo Amsterdam zien liggen', zei Maarten.

'In mijn herinnering zitten al die soldaten op een rij-tje tegen een muurtje', zei Piet. 'En ik ging kijken, aan de hand van Maarten, en moest over al die benen heen stappen.'

Maar dat was allemaal niet wat hij wilde weten.

'Gaat u rustig slapen, wij waken over u', hadden de Hollandse regenten altijd gezegd. Maar de vloed van verdrongen en toegedekte herinneringen was te sterk, ervoer hij. De dijken bezweken, de zelfbescherming hield geen stand. Er kwam een stroom van kritiek los. En hij liet zich graag, heel graag meeslepen.

'Daar heb je die vervelende bisschop weer', zei pa. Ze keken televisie. Het was maart 1963, Nico was net klassieke talen gaan studeren in Amsterdam. Bisschop

Bekkers zou in het actualiteitenprogramma *Brandpunt* spreken over de nieuwe pil voor de vrouw. Pa zat achter aan tafel en keek met een half oog mee.

'Wilt u er alstublieft niet doorheen praten, pa', zei hij.

Ze hadden dat jaar eindelijk, als laatsten op de buurt, televisie gekregen. Pa vond een televisie lange tijd te duur. Bovendien zouden de 'studenten maar last hebben van het lawaai'.

Als kind keek Nico tv bij buurvrouw Molenaar, een weduwe met twee dochters die op woensdagmiddag haar kleine voorkamer verbouwde tot huisbioscoop. Later, tijdens het wk-voetbal van 1958, liep hij dagelijks de Dorpsstraat af op zoek naar een huis met antenne en gesloten gordijnen. In het pikdonker struikelde hij bij de familie Hermes binnen, of bij meester Van de Kapelle, en vroeg of hij alsjeblieft dankuwel mee mocht kijken.

Maar nu hadden ze dus zelf een toestel: een stevige Philips die in een hoek van de voorkamer werd gezet en al snel uitnodigde tot opmerkingen die iedereen tot dan toe voor zichzelf had gehouden.

'Laat die Bekkers zijn geloof in de kerk verkondigen', zei pa, 'zoals het hoort, in plaats van elke week op tv.'

Bisschop Bekkers was een veel gevraagd commentator in *Brandpunt*. Tot grote ergernis van pa was hij in korte tijd populair geworden onder katholieken. Bekkers steunde het Tweede Vaticaans Concilie; de bijeenkomst van bisschoppen uit de hele wereld die de kerk dichter bij haar tijd moest brengen. Voor pa gingen de voorgestelde veranderingen veel te ver. 'De heilige mis wordt voortaan niet meer in het Latijn, maar in het Néderlands gehouden', had hij met afgrijzen voorgelezen uit de krant.

Nico was altijd naar de kerk blijven gaan, zoals al zijn broers en zussen. Ze zaten liever een uurtje te suffen in de Maria Magdalenakerk op zondagochtend dan dat ze ruzie hadden met pa. Retorisch was het weer niks, dacht hij vaak als hij naar huis liep. De kerk had hem steeds minder te zeggen.

Tot hij, in 1961, voor het eerst de studentenekklesia bezocht. De kerk was stampvol geweest. Hij had nog net een plaatsje kunnen bemachtigen. Achter het altaar stond een man met een vriendelijk gezicht en een vierkante bril. Hij heette pater Van Kilsdonk.

De bezieling waarmee die man preekte. Hij wist niet dat je ook zo over God kon spreken. Van Kilsdonk haalde de literatuur erbij en wist de loze woorden van zijn jeugd weer betekenis te geven.

Piet was er als eerste voor uitgekomen dat hij niet meer geloofde. 'Ik vind het allemaal gelul', had ie hem weleens verteld. 'Zo gauw ik getrouwd ben, ga ik niet meer naar de kerk, dan bekijkt pa het maar.' Maar Piet studeerde niet, zoals hij. Piet kende pastoor Kat niet, pater Van Kilsdonk niet, bisschop Bekkers niet.

Het interview met Bekkers begon. Nog niet zo lang geleden was de Nederlandse Vereniging voor Sexuele Hervorming een campagne begonnen om de nieuwe pil te promoten. De meeste katholieke hotemetoten hadden het onderwerp tot dan toe handig weten te omzeilen.

De spreiding van geboorten is binnen de verantwoordelijkheid van de mens komen te liggen...

zei Bekkers,

...Gehuwden, en ook zij alleen, kunnen de vraag beantwoorden wat Gods roeping en levensopdracht voor hen betekenen, en welke de grootte van hun gezin en

hoe de opeenvolging van de kinderen moet zijn...Dit
is hun gewetenszaak, waarin niemand treden mag.

Pa's gezicht verstrakte.

'De Kerk is hard aan vernieuwing toe, pa', zei Nico.
'Dat begrijpt deze bisschop tenminste.'

Zijn vader liep met grote passen de kamer uit. Moe
zat te breien en zei niets. Marian keek hem verbaasd
aan. Ze zou wel vinden dat ie weer eens moeilijk deed.
Niemand begreep waarom hij zijn mond niet hield.
Maar hij kon niet anders. Jo, Toos en Maarten zouden
het niet wagen over zulke kwesties te beginnen. En Jan
en Piet hadden geen interesse in de kerk of in politiek.
Er moest er een de eerste zijn. De eerste die de stilte
verbrak.

Marian vertelde hem later dat hij een keer zo kwaad was
geweest, dat hij een knikker door het glas-in-lood van
de schuifdeuren had geknald. 'Je had gezegd dat het knap
laf was van Wilhelmina om het land te ontvluchten
toen de oorlog begon', zei ze. 'Pa was razend.'

Zelf kon hij het zich niet herinneren. Hij had nooit
slaande ruzie met zijn vader, voor zover hij wist, ze
stonden niet schreeuwend tegenover elkaar: jij altijd
en dit en dat en opgesodemieterd en ik wil je niet meer
zien. Ze groeven zich in, wachtten af, onmachtig elkaar
te bereiken, en losten zo nu en dan een schot naar de
overkant.

'Luns kan niet vasthouden aan Nieuw-Guinea, pa,
we hebben daar niks meer te zoeken.'

'Joseph Luns is wel onze katholieke man, ónze minister van Buitenlandse Zaken.'

'Luns-time is over.'

En dan weer de stilte.

Pa was onzeker geworden na zijn ziekbed, zag Nico. In de tijd dat hij met een ontstoken heup op bed lag, hadden Jan en Piet het bedrijf min of meer overgenomen. Jan had zijn rijbewijs gehaald, er was een stoere Fiat-bestelbus gekocht, de jongens namen steeds grotere klussen aan. 'Jullie doen allemaal maar', klaagde pa. En ook hij en Gerard, de jongere, studerende zoons, hielden er steeds vreemdere opvattingen op na.

Met Jo en Toos had hij nooit veel contact gehad. Toch miste hij hen, toen z'n zussen uiteindelijk in 1964 vlak na elkaar trouwden. Het werd stil in huis zonder hun hoge lach, het geroddel met de nichten Ruijter in de keuken, de koffievisites van de vrijers op zondagochtend.

Hij herinnerde zich hoe op een avond plotseling een al wat oudere vrijgezel uit het dorp voor Jo belde. Zo gauw Piet en Martien doorkregen met wie Jo in de gang aan de telefoon zat, begonnen ze te joelen: 'Jo, ga nou met hem uit!' Er werd gelachen. 'Zeg nou jaha!', riep Gerard. 'Die man vliegt, Jo, met de KLM! Hartstikke chic!'

Ze hád ja gezegd. Toen Jo uiteindelijk trouwde, was ze dertig. Iedereen in de familie vond het hoog tijd. Maar ze moest hen wel missen, dacht Nico, want ze kwam nog vaak 's avonds koffie drinken bij moe. 'Het is hier nog zo gezellig', zei Jo dan. Ze zag kennelijk niet dat hijzelf inmiddels bijna constant ruzie had met pa.

Ook Toos had heimwee. Tijdens haar huwelijksreis kreeg hij haar een keer bijna huilend aan de telefoon. 'Mag ik moe even, alsjeblieft?' Moe had na het gesprek verbouwereerd opgehangen. 'Ze zegt dat ze ons zó mist. Nou ja, dat zal vanzelf wel overgaan.'

Moe was erg te spreken over de echtgenoot die Toos had gevonden. Jacques heette hij; een keurige man met een vlotte babbel. En een goede partij. Hij had een eigen zaak in sieraardewerk. Voor Jacques had moe zelfs, na lang aandringen van Toos, een compleet nieuw servies aangeschaft. 'Wat moet hij wel niet denken, moe', had Toos herhaaldelijk geklaagd, 'als hij ziet wat voor een rommeltje wij hier op tafel hebben staan.'

Voor de bruiloft van Toos moest Nico zich, net als zijn broers, in een gehuurd jacquet hijsen. Zoiets deftigs hadden ze nog nooit aangehad. Pas na drie biertjes zat het pak een beetje lekker. Maar Toos had erop gestaan. 'Ik wil dat jullie er goed uitzien', drukte ze hun op het hart. 'Dat zijn ze in de familie van Jacques zo gewend.'

Het feest werd gevierd in het voorname Huis te Zaanen in de Zaanbocht in Wormerveer. Nico gaf niet om pracht en praal, maar moest toegeven dat het er allemaal erg mooi uitzag. Moe droeg voor de gelegenheid een nieuw mantelpakje en glunderde de hele avond. 'Het eten is ook zo goed hè', zei ze tegen hem toen ze aan tafel zaten, waar een luxueus vijfgangenmenu werd geserveerd. Tevreden keek ze toe hoe hij nog wat zalm opschepte. Buitenshuis smaakte alles hem veel beter.

❖

Nico keek het examen Grieks na van zijn leerlingen. Moe zat te dommelen in haar stoel. Hoe vaak had ze vroeger zo stil zitten schemeren. Dan ging ze op een van de clubjes voor het raam zitten, sloeg haar armen over elkaar en keek naar buiten, naar wie voorbijgingen op de Dorpsstraat, net zo lang tot het helemaal donker was geworden om haar heen.

'Hoe was het om zoveel kinderen te hebben, moe?' Die vraag had hij haar op zo'n rustig moment soms graag willen stellen. Maar hij had het nooit gedurfd en nu was het te laat.

Zijn nieuwe vriendin, die moe nooit had gezien toen ze nog gezond was, had hem een keer gevraagd hoe zijn moeder vroeger was. Hij had een lange stilte laten vallen. Wat wist hij eigenlijk van haar? 'Ze was wel zorgzaam, geloof ik', zei hij uiteindelijk. 'Maar ze had het altijd druk met het huishouden. Ze sprak nooit over wat ze voelde, dat had ze niet geleerd.'

Soms probeerde hij zich voor te stellen hoe moe als jong meisje was geweest. Ze was vast een kordaat kind dat van aanpakken wist. Maar had ze zich eenzaam gevoeld, toen ze als veertienjarig grietje bij een familie in de huishouding ging helpen?

Moe zakte een beetje opzij. Hij legde een kussentje in haar rug. Er was niks leuks op televisie. Hij verdiepte zich weer in zijn correctiewerk. Het was stil. Je hoorde alleen de klok tikken.

Hij moest ineens terugdenken aan die snikhete middag dat hij moest verschijnen voor een Griekse rechtbank in Larissa. Het was in 1973. De kolonels waren nog aan de macht. Hij was dertig, droeg een woeste, rode baard en werd beschuldigd van belediging van het staatshoofd.

Het gesprek met de mannen op straat begon zo aardig. Ze hadden het natuurlijk gehad over Cruijff. Vervolgens had hij gevraagd wat ze van die andere bekende Nederlander vonden, Max van der Stoel, die een vernietigend rapport had geschreven over de mensenrechten in Griekenland. 'Papadopoulos is toch een misdadiger!', had hij opgewonden geroepen.

De mannen bleken militairen te zijn. Nog dezelfde dag was hij gevangengezet. Een kleine cel, hij moest zich optrekken aan de tralies om naar buiten te kunnen kijken. Op de deur bonken als hij naar het toilet wilde. Na eindeloos wachten werd hij naar de rechtszaal gebracht, waar die dag vooral fiets- en kippendiefstallen werden behandeld. Het was er zweterig, rommelig, rumoerig. Hij was zenuwachtig.

'Kunt u herhalen wat u gezegd heeft?', vroeg de rechter.

En hij herhaalde, met luide en duidelijke stem: 'Papadopoulos is een misdadiger omdat hij duizenden mensen van hun bed heeft laten lichten en er ook gevangenen zijn overleden of doodgemarteld...'

Het was bijna masochistisch, maar hij genoot ervan hardop te zeggen wat hij vond, terwijl iedereen naar hem luisterde.

Hij was er goed van afgekomen. Zeven maanden gevangenisstraf kreeg hij, maar hij mocht de uitkomst van het beroep thuis afwachten en wist zo zijn straf te ontlopen.

Moe was in slaap gevallen. De wijkzuster belde aan. 'Alles goed met uw moedertje?' Ze reden moe naar de achterkamer en tilden haar voorzichtig in bed. Moe sliep intussen rustig verder.

7 Gerard [1945]

'Dit is een machtige happening', zei de historicus Loe de Jong tegen de zaal.

'Boeh!', riepen de studenten.

'Ik ben een provo!', riep iemand.

'Ik zal proberen een provo te zijn', lachte De Jong besmuikt.

Gerard ging rechtop zitten. Nu werd het leuk. De Jong begon een vurig betoog, waarin hij de Amerikaanse politiek in Vietnam verdedigde. 'Geloof mij, ik behoor nog tot een generatie die wéét wat terreur betekent...'

'Boeh!', loeiden de studenten nog harder.

'Ik dacht dat dit een *teach-in* was, niet een *shout-in*', probeerde De Jong. Hij werd weggefloten. 'Stilte, stilte!' De Jong hief zijn armen en probeerde de menigte tot bedaren te brengen. Een aantal studenten beantwoordde zijn gebaar jolig met de Hitlergroet. Loe de Jong vertrok, zijn aktetas onder zijn arm geklemd.

Het werd een goede avond! Blij dat hij binnen was. Hij had uren in de rij gestaan voor de Beurs van Berlage in Amsterdam, slechts met veel moeite had hij een klapstoeltje achter in de zaal kunnen bemachtigen. Er waren bijna drieduizend studenten afgekomen op de eerste Nederlandse teach-in over de oorlog in Vietnam.

Het was oktober 1965, Gerard was net begonnen met zijn studie rechten. Hij had niet goed geweten wat hij van de bijeenkomst moest verwachten. 'Het is iets Amerikaans, zo'n *teach-in*', had een medestudent hem verteld. 'Er komen allemaal verschillende sprekers, die elk een kwartiertje krijgen om wat over Vietnam te zeggen.'

Op het podium sprak nu iemand van de Labour-partij uit Engeland. 'We hebben maar één doel', declameerde de man met luide stem, 'en dat is een eind maken aan het bombarderen, het vechten en het doden!'

Hij kreeg kippenvel. 'Bravo!', wilde hij roepen, net als de studenten om hem heen. Maar hij deed dat niet. Hij was een beetje in de war. In de krant stond dat Amerika het pro-westerse zuiden van Vietnam hielp in de strijd tegen het communistische noorden en dat dat goed was. Ook pa sprak altijd over de Amerikanen als de 'bevrijders'. Alleen een enkel pacifistisch actiegroepje protesteerde tegen de Amerikaanse interventie. Maar nu hij hier hoorde dat president Johnson al bijna 180 duizend man naar Vietnam had gestuurd, hoeveel doden er waren gevallen en wat de gevolgen waren van de bombardementen, begon hij zich ook af te vragen waar de Amerikaanse bemoeienis goed voor was.

Uit het publiek was een man naar de microfoon gestapt die zich voorstelde als 'Verweij, woninginrichter'. Gerard vroeg zich af hoe de man binnen was gekomen, zonder collegekaart. Maar hij had zich voorbereid, zo te zien. Hij las voor van een papiertje. 'Het is Rome!', riep hij. 'Het is Rome. Daar zit de hele ellende. Paus Paulus heeft nooit een woord over de vrede gesproken. Het is Rome!'

Gerard klapte nu om het hardst mee. Een beetje beschaamd dacht hij terug aan de tijd dat hij nog bij de

JOKVP zat, de jongerenorganisatie van de Katholieke Volkspartij. Thuis waren ze helemaal KVP, Maarten zat zelfs voor de partij in de gemeenteraad. Meester Kamp, de hoofdmeester van de lagere jongensschool, had Maarten ongevraagd op de lijst gezet. Katholieke jongens die studeerden, zouden ook wel verstand van politiek hebben. Zelf had hij evenmin durven weigeren, toen één van Wormers notabelen hem benaderde voor de JOKVP. Hij was zelfs trots geweest op zijn lidmaatschap. Als gymnasium-broekie van zestien ging ie, keurig in pak, naar partijbijeenkomsten, waar hij nog hoog opkeek tegen figuren als Schmelzer.

Hij begreep nu niet hoe hij ooit had kunnen geloven in een partij die mensen verenigde op grond van zoiets apolitieks als het geloof. Het was natuurlijk kolder om arbeiders en ondernemers bij elkaar te zetten. Op de universiteit spraken ze over niets anders dan polarisatie; de arbeiders versus het kapitaal, de bevrijders versus de onderdrukkers.

Het liep inmiddels tegen tweeën. De laatste trein naar Wormerveer had hij allang gemist. Het kon hem niet schelen. Niemand ging naar huis. Hij haalde van zijn laatste gulden een kop koffie. Op het podium sprak nu een journalist, ene Klatser. Hij gaf Loe de Jong ervan langs. 'Die man mist elk gevoel, elke stemming van het verzet. Als wij niet door de Engelsen gedwarsboomd zouden zijn geweest, hadden wij elke NSB'er aan de dichtstbijzijnde lantaarnpaal opgeknoopt!'

Nog steeds was niemand het klappen en joelen moe. Zelfs de zwerver die op het podium klom en een vals gitaardeuntje inzette, kon rekenen op een warm onthaal. Pas tegen vieren gaf hij het op.

Gerard liep naar het station, waar hij nog een uur op de trein moest wachten. Het maakte niet uit. Hij had veel om over na te denken. Heel veel. Hij wist dat hij deze avond nooit zou vergeten, al kon hij de betekenis ervan nog niet goed bevatten.

Thuis had pa, zoals altijd, alle deuren op slot gedraaid. Hij klom via het platte dak van de schuur naar binnen. Iedereen was in diepe rust. Nog even, en zijn moeder zou opstaan om voor iedereen boterhammen te smeren.

Hij koos niet zomaar voor rechten. Het was een roeping geweest.

Hij was twintig, had het gymnasium afgemaakt en werkte op kantoor. Op een zaterdagochtend bleef hij, zoals vaker, wat langer uitslapen. Pa, Jan en Piet waren al vroeg vertrokken naar hun werk. Het was stil in huis. Hij dommelde weer lekker weg.

De gedachte was er meteen toen hij ontwaakte. Helder, onontkoombaar. Hij dacht: als ik écht iets goeds wil doen, dan moet ik rechten gaan studeren. Want wat was er mooier, nobeler dan het verdedigen van mensen die niet voor zichzelf konden opkomen? Het was alsof hij het had gedroomd. Alsof er iemand was geweest die hem vertelde wat hem te doen stond.

Hij was even beduusd blijven liggen. Had Gods stem zich dan toch in hem genesteld, stiekem? Als jongetje van twaalf was hij doodsbang geweest dat God hem zou roepen voor het priesterschap. Pastoor Verwer had eens gezegd dat 'die dag elk moment kon komen'. 'Maar vrees niet', had hij er bij verteld, 'want je zult Gods stem herkennen en vervuld zijn van je roeping.'

Nachtenlang had hij er wakker van gelegen. Het was een simpele rekensom. In alle grote katholieke families werd er wel één priester. De oudste had het laten afweten, Maarten, die was gaan studeren. Jan en Piet konden of wilden niet leren. Nico was naar het St. Michaël

College gegaan. Martien was veel te onstuimig voor een bestaan als pastoor. Frans, ja, dat wist hij nog niet. En met Guus zou het zeker niks worden, die wilde altijd buiten spelen. Dus bleef alleen hij over. Hij zou zich moeten opsluiten in het seminarie met jongetjes die geen boomhutten konden bouwen.

Hoe vaak had hij vroeger niet de neiging gehad om zijn vingers in zijn oren te stoppen, vastbesloten om Zijn stem niet te horen? Niet over praten, dacht hij alsmaar, tegen niemand wat zeggen. Want dan denken ze dat Gods stem in je is en kom je nooit meer van Hem af.

Maar nu had God hem dus voor iets anders nodig. Hij ging geen zielen redden, hij moest opkomen voor het recht van de gewone man.

Het gevoel voor rechtvaardigheid moest hij van zijn moeder hebben. Als hij vroeger thuiskwam uit school, lagen er voor hen allemaal precies evenveel boterhammen klaar. Alleen de werkers kregen een sneetje meer.

Hij studeerde vaak in de universiteitsbibliotheek op het Singel in Amsterdam. Op een dag, in juni 1966, ontstond er rumoer in de studiezaal. 'Er wordt geknokt op de Nieuwezijds!', riep iemand. Veel studenten lieten hun boeken liggen en stormden naar buiten. Hij twijfelde even, maar liep uiteindelijk achter hen aan. Voor het gebouw van *De Telegraaf*, op de Nieuwezijds Voorburgwal, had zich een woedende menigte verzameld.

'Wat is er aan de hand?', riep hij naar een jongen.

'De bouwvakkers protesteren! Ze zijn kwaad om wat *De Telegraaf* vanochtend heeft geschreven over de dood van Jan Weggelaar.'

'Wie is dát?'

'Ook een bouwvakker. Die man is gisteren de pijp

uitgegaan tijdens een demonstratie voor meer vakan-
tiegeld. Volgens *De Telegraaf* is ie door z'n eigen collega's met een stoeptegel geraakt. Maar de bouwvakkers
zeggen dat ie door de politie is vermoord.'

'En nu?', schreeuwde Gerard boven het lawaai uit.

'*De Telegraaf* heeft het in de tweede editie al proberen
recht te breien. Die vent heeft geloof ik een hartaanval
gehad. Maar de bouwvakkers zijn nog steeds woedend!'

Een aantal mannen probeerde het gebouw te bestor-
men, zag hij. De menigte stortte zich intussen op twee
Telegraaf-vrachtwagens. Er werden flinke klappen uit-
gedeeld, ruiten ingegooid. Eén vrachtwagen werd omver
geduwd, rollen papier verspreidden zich als een lint
over straat. Jonge provo's en oproerkraaiers sloten zich
bij de bouwvakkers aan.

Waar was de politie? Het personeel van *De Telegraaf*
moest zelf tegenstand bieden, met brandslangen en
stokken – waar ze wonderwel in slaagden. Pas toen de
bouwvakkers de aftocht bliezen, zag hij een groepje
agenten de straat in komen.

Hij liep terug naar de bibliotheek. Studeren lukte niet
echt meer. Hij had weinig sympathie voor het geweld.
Maar dat de bouwvakkers, de arbeiders, voor even aan
de macht waren geweest, dat sprak tot de verbeelding.

Hij was de toeschouwer, de man van de achterste rij. Een
einzelgänger ook. Hij hield er niet van om met een grote groep studenten in de kroeg te zitten. Liever zwierf
hij in z'n eentje urenlang door de stad. Hij keek naar de
happenings van de provo's rond het Lieverdje op het
Spui, hij hing een tijdje rond bij de Vietnam-*sit-in* voor
het Amerikaanse consulaat, hij zag de rook optrekken
boven de stad toen Beatrix trouwde. Maar als het op
knokken uitliep, was hij snel weg.

'Jan, je kunt toch geen acht uur schrijven voor die klus?'

(...)

'Ik móet die benzinebonnetjes hebben.'

Het was op een zondagochtend, in oktober 1966. Hij probeerde *De Nieuwe Linie* te lezen. In het winkeltje hoorde hij pa en Jan ruziën. Piet bromde er af en toe wat tussendoor.

'Ik weet zeker dat het meer tegels waren.'

(...)

'Pa, zeur niet zo, we hebben echt goed geteld.'

De letters dansten op het papier. Waren Jan en Piet eindelijk getrouwd en was het nóg niet afgelopen met het geruzie over de zaak. Elke zondagochtend was de sfeer in huis om te snijden. Net als hij lekker rustig de krant wilde lezen, gingen pa en de jongens uitgebreid over de administratie bakkeleien.

Evenals zijn moeder had hij een hekel aan ruzie. Jarenlang zat hij zich te verbijten wanneer Jan en pa aan tafel onenigheid hadden over onbenulligheden als het aantal verkochte rozenstruiken of de al dan niet noodzakelijke aanschaf van een tweede bestelauto. Hij zat aan tafel in het midden, precies tussen Jan, pa en Piet in.

Even hoopte hij dat de stemming thuis beter zou worden toen Jan en Piet vlak na elkaar trouwden in 1966. Het huwelijk van Jan was gepland. Die betrok een keurige flat in Wormer met het meisje met wie hij al jaren verkering had. Maar Piet was in september wel erg plotseling vertrokken.

Moe had hem op een middag boven geroepen. 'Pssst, Gerard, kom eens hier.' Hij was erg verbaasd geweest. Moe riep hem nooit apart om iets te zeggen. Ze deelden geen geheimen of intimiteiten. Maar nu zat moe op bed in haar slaapkamer. Ze friemelde aan haar schort. Hij had haar niet eerder zo emotioneel gezien. 'Lia van Piet is zwanger', fluisterde ze bijna.

'Maar moe, dat is toch prachtig, nog een kleinkind erbij?', zei hij.

'Het is een schande, je vader schaamt zich zo. Ze zijn nog niet getrouwd. Straks roddelen de mensen erover, of komt pastoor erachter. Je vader loopt Lia straal voorbij als hij haar tegenkomt, zonder wat te zeggen.'

Zo was ook Piet halsoverkop getrouwd. Hij trok met zijn 19-jarige vrouw tijdelijk in een zomerhuisje op het erf van een buurman, waar ze, zo hoorde Gerard wel, elke dag 's ochtends om zeven uur de kaarsjes aanstaken en plaatjes draaiden.

Maar rustig was het thuis dus niet geworden.

Hij schoot geen moer op in *De Nieuwe Linie*. Het liep inmiddels tegen enen, de koffievisite was allang weg. Moe keek af en toe ongerust op van haar breiwerk. De deur van de kamer vloog open. Jan beende met grote passen naar buiten. Hij zei niets. Piet mompelde tegen moe dat 'alles oké was' en ging er meteen achteraan. Pa liet zich niet zien. Op de radio klonk iets Hollands gezelligs, daar hield moe van.

'Moe, ik ga op kamers', hoorde hij zichzelf zeggen.

Ze keek hem verbaasd aan. 'De anderen gingen er pas uit toen ze trouwden. Wat moet jij nou in je eentje in Amsterdam? En hoe ga je dat betalen?'

Hij zou wel zien, zei hij.

De werkende jongens dachten zeker dat hij op fluweel zat, het Amsterdamse studentje dat op kamers woonde. Pa gaf hem geen cent, ook al ontving ie nu drie keer kinderbijslag. Hij moest het zelf uitzoeken. Maar als Jan en Piet op zaterdag een grote klus hadden, verwachtte pa wél van hem dat hij meehielp.

Van het geld dat hij in het weekeinde bij de Hoogovens verdiende, kon hij net de huur en z'n studie betalen. Hij liftte naar huis, dat scheelde weer een treinkaartje van één gulden tien, en hij bleef vrijdag, zaterdag en zondag slapen, omdat dat weer drie warme maaltijden en een bezoek aan de wasserette uitspaarde.

In zijn pijpenla op de Bilderdijkstraat stond niet veel meer dan een tafel, een stoel en een bed. Maar het was er stil. Hij was alleen. Elke ochtend zette hij de radio aan, waarna de wereld bij hem binnendenderde. Hij luisterde urenlang naar politieke discussies en buitenlandreportages. Niemand praatte erdoorheen over geraniums. Of vroeg hem 'of ie niet eens wat moest gaan doen'.

Maarten zei dat zij, de professoren, thuis meer aanzien genoten dan de werkers. Maar hij had juist het gevoel dat het andersom was. Dat de werkers als vanzelfsprekend voor vol werden aangezien in een familie waarin alles draaide om de tuin. Terwijl de studenten nog maar moesten bewijzen wat hun boekenkennis zou opleveren. 'Wat vreten jullie toch uit de hele dag!', kon ome Jo zeggen.

Hij genoot ervan om de ochtenden in zijn kamer te rekken. Nog een kop koffie, nog een sigaret, nog even dat artikel lezen. En dan een paar uurtjes werken in de bibliotheek. Veel college had hij niet. Hij had ook helemaal geen haast om af te studeren. De maatschappij was nog lang niet ingericht naar zijn wensen.

'Ik wou dat ik de Vesuvius was', kon hij in die jaren lachend zeggen. 'Dan kon ik de hele dag lekker roken, maar zeiden de mensen toch: kijk, hij werkt!'

In februari 1969 liftte hij naar Parijs, waar hij een half jaar wilde blijven. Hij had driehonderd gulden op zak en eigenlijk geen idee wat hij er ging doen. 'Het is goed voor mijn Frans', had hij tegen pa gezegd.

Ook in Parijs was hij erg op zichzelf. En zijn geldprobleem werd er alleen maar nijpender. Hij werkte als nachtwaker in een jeugdhotel, haalde in een buitenwijk zware kantoorgordijnen van de rails en bracht ze voor een schoonmaakbedrijf naar de stomerij.

Toch had hij een goede tijd. Als hij 's nachts had gewerkt, liep hij in de vroege ochtend meteen door naar de Hallen, waar hij urenlang langs de drukke marktkramen slenterde. Na even te hebben geslapen, kocht hij *Le Monde* en pakte hij een terrasje op de Boulevard Montparnasse, of zocht hij een bank op in de Jardin du Luxembourg. Hij mocht dan geen geld hebben voor een goede fles wijn: de wandelingen, het uitzicht en de gedachten waren vrij.

'Wisten jullie dat Jezus Christus de eerste communist was?', riep hij. 'Die joeg de rijken uit de tempel! Jongens, ik zou zeggen dat ie een held was, net als onze Che.'

Nico hapte meteen en begon een heel betoog. 'Ik vind eerder dat Guevara...' Typisch Nico. Die was altijd fel, serieus, net als pa. Terwijl hij het zelf meestal niet zo ernstig bedoelde. Sinds hij het huis uit was, had hij er steeds meer lol in gekregen om de achterblijvers af en toe wakker te schudden. Hij speelde graag de rol van rebelse student, die in de grote stad allerlei nieuwe ideeën opdeed waar de rest nog wat van zou kunnen leren.

Het was eind september 1969. Zoals vaker op zaterdagavond, zaten ze met thee, rum, sigaretten en stapels kranten in de studeerkamer. Het vaste clubje. Nico, Frans en hun neven Lau en Nico Ruijter.

Frans en hij hadden elkaar vroeger nooit veel te vertellen gehad. Zijn vier jaar jongere broertje was altijd bezig met popmuziek. En zelf wist hij niks van de Byrds, de Beatles of de Stones. Maar nu Frans sociologie was gaan studeren, leek hij gelukkig ook steeds meer interesse te krijgen in de wereldpolitiek. Sinds kort debatteerde hij fanatiek mee op zaterdagavond.

'Hebben jullie gelezen dat Castro de complimenten krijgt van de Verenigde Naties voor zijn aanpak van de bestrijding van het analfabetisme op Cuba?', zei Nico.

'Hij heeft het volk toch maar mooi gered uit de klauwen van de Amerikaanse multinationals', zei Gerard. 'Door Chiquita werden ze afgescheept met een fooitje. En kijk nu!'

'Ik heb anders gehoord dat de vroegere aanhangers van Batista niet zo netjes behandeld worden daar', zei Lau Ruijter.

'En homo's hebben het ook niet best hoor', zei Nico. 'Die gooit ie zo in de gevangenis.'

'Jongens, dat zijn vlekjes, vlekjes op het mooie blazoen van Fidel', zei Gerard. 'Zo'n revolutie is een overgangsfase. Dan gaat er altijd wat mis. Maar het doel heiligt de middelen, in dit geval.'

'Ik hoop anders niet dat Fidel, onder druk van de Amerikanen, nu helemaal in de handen van Moskou wordt gedreven', zei Frans.

Ze knikten. Staken nog een sigaret op. Ze waren tegen Moskou. Dat zat erin natuurlijk, met een vader die vroeger overlevingspakketten stuurde naar de arme zielen achter het IJzeren Gordijn en bad voor de bekering van Rusland. Sinds kort waren Nico en hij als vrijwilliger actief in Amnesty International. Ze hielden zich vooral bezig met het opsporen van politieke gevangenen in het Oostblok.

'Toch kan het communisme voor de bevrijdingsbewegingen in Latijns-Amerika wel een mooie tussenoplossing zijn', zei Gerard. 'Een tijdelijke ideologie, om af te rekenen met de militaire dictatuur.'

'Ja', zei Nico, 'wie zijn wij om te zeggen dat die landen meteen democratisch moeten worden, terwijl het volk nog niet eens wat te vreten heeft.'

'Trouwens', riep Gerard, 'met het communisme is als idéé natuurlijk niks mis. Kijk naar een klooster, dat is toch het communistische beginsel in praktijk?'

'Laat pa het niet horen!', lachte Nico.

'Hij is toch al zo chagrijnig de laatste tijd', zei Frans. 'Ik zie hem steeds vaker naar Maarten lopen. Zeker om zijn beklag te doen over ons.'

Maarten was in 1966 getrouwd, hij woonde in een huis op de buurt. Ook Gerard had gezien dat pa regelmatig bij Maarten langsging.

'Jullie vader wil zeker geen woord horen over onze Jan', zei Lau.

'Hou op!', riep Gerard.

Jan Ruijter, hun neef, was kapelaan in Beverwijk en één van de voormannen van de Septuagint-beweging, een actiegroep van priesters die streefde naar vernieuwing van de katholieke kerk.

'Hier, heb je *Elsevier* gelezen?', zei Gerard, en hij pakte het weekblad erbij. 'Er staat een geweldig interview met Jan in. Over zijn plan om met een aantal Nederlandse priesters naar Rome te gaan, wanneer de bisschoppen daar weer een synode hebben.' En hij las voor, met gedragen stem:

We willen de paus bevrijden van dat kleine oerstarre kringetje om hem heen. We willen de bisschoppen bevrijden van de centralisatie door Rome. We willen de

priesters bevrijden uit hun isolement in de wereld. En
we willen de mensen bevrijden.

'Wát wil Jan doen in Rome?', vroeg Nico.
'Aandacht vragen voor de goede zaak', zei Gerard.
'Een soort van schaduwsynode beleggen.' Hij las verder:

Het zou goed zijn, gewenst, als deze paus ons wilde ont-
moeten. Niet omdat wij dat zijn. Maar om wát we zijn,
gewone zielzorgers, die beseffen dat er spoedig anders
voor de zielen gezorgd moet worden dan men in het
centrum gelooft – omdat er anders al gauw geen zielen
meer zijn die nog willen dat wij voor ze zorgen.

'Fantástisch hè', zei Gerard.
'Hij heeft wel lef', zei Nico. 'En hij begrijpt tenmin-
ste waar het met de kerk naar toe moet.'
'Ja', zei Gerard, 'we moeten de kerk niet afschaffen,
we moeten haar gewoon veranderen.' Hij was, net als
Nico, altijd blijven geloven. Niet in de paus, maar wel
in de gedachte dat er méér moest zijn achter de horizon.
Hij liet de traditie niet los, hij wílde niet loslaten.
'Pa zegt vanwege Jan niet eens meer hallo tegen tante Jo', zei Frans.
'Zijn zus notabene', zei Nico.
'Ik snap niks meer van hem', zei Gerard. 'Ik spreek
hem nauwelijks wanneer ik thuis ben.' Hij ontliep con-
frontaties met zijn vader zo veel mogelijk. 'Jullie worden allemaal communisten!', zei pa soms wanneer Nico
en hij in de kamer zaten te discussiëren over Vietnam.
Nico wilde er dan nog weleens tegenin gaan. Maar
hij hield z'n mond. Hij wilde de vrede bewaren. En hij
wilde het niet moeilijker maken voor moe dan het al
was.

Vaak had hij medelijden met moe. Ze zei er niets over, maar het gezeur van pa moest haar erg dwars zitten. Misschien begreep ze er ook niet veel van. Haar kinderen waren toch goed? Moe kon zich ook vast niet druk maken om zoiets als de taal die in de kerk werd gesproken. Ze was oprecht gelovig, ze had veel steun aan Maria en aan haar gebeden. Maar wat kon het haar schelen welke bisschop benoemd werd? Het was veel belangrijker of ze wel genoeg brood in huis had.

'Gaan jullie morgenochtend nog naar de kerk?', vroeg Frans.

'Ik weet het nog niet', zei Gerard. 'Hoe laat is het eigenlijk?'

De avond verdampte in rook en rum en eindeloze gesprekken. Toen de neven Ruijter vertrokken, was het huis al donker. Pa en moe hadden zich de hele avond niet laten zien. Hij schonk nog een laatste glas rum in en besloot dat hij de volgende ochtend niet naar de Maria Magdalenakerk zou gaan. Hij pakte de mis om zes uur 's avonds wel, ook al had pa daar een hekel aan. En daarna ging ie snel naar Amsterdam.

Het was vreemd, hoe snel de stad hem vertrouwder werd dan de plek waar hij was opgegroeid. Terwijl hij toch zulke mooie, bijna idyllische herinneringen koesterde aan zijn kindertijd.

Hij herinnerde zich hoe ze 's morgens wakker werden en luisterden naar de wind. Als ze hoorden dat het hard waaide, schoten ze in hun korte broek en renden ze naar beneden, dc boomgaard in. De zon was nog niet op, het was koud buiten. Maar van overal kwamen broertjes en neefjes tevoorschijn met slaperige gezichten en warrige haren.

Het was een idiote competitie, een eeuwige strijd

tussen de Koelemeijertjes en de Ruijtertjes. Wie er het eerste was, kon de afgewaaide appels rapen. Je moeder was daar blij mee. Ja, daar deed je het voor: voor de glimlach van je moeder en de zekerheid dat je weer gauw appelmoes zou eten.

Of hoe ze op zondagochtend, na het melken, naar ome Jo gingen en bij hem aan tafel mochten zitten in zijn rommelige, vieze vrijgezellenkeuken. 'Hier lummel, pak aan', zei ome Jo, en hij sneed dikke plakken ontbijtkoek voor ze af, zo veel als ze wilden, en hij smeerde er massa's roomboter op.

En dan de zwerftochten door de boerderij, waar ze elkaar verhalen vertelden over de verborgen ruimte in de hooiberg waarin onderduikers zouden hebben gezeten tijdens de oorlog ('niet op staan, je zakt erin!'). Ze gingen ook weleens stiekem in ome Jo's slaapkamer kijken. Het rook er muf, er stond een pispot onder het bed die bijna altijd vol was.

Of laarsie trap! Alle jongens op het pleintje, voor een laars. Eén bal, als het mee zat een goeie. En dan, om beurten, proberen de laars van de ander om te trappen, waarbij ze, als speelden ze biljart, strategisch gebruik maakten van het kippenhok en de muurtjes rond het pleintje. Ze hielden het dagenlang vol. Zoals ze ook damcompetities hadden die eindeloos duurden, want ze waren, de Ruijtertjes meegerekend, wel met tien kinderen die goed konden dammen en ze hadden maar twee spelborden.

Misschien kon hij zo'n zonovergoten beeld van zijn jeugd koesteren juist omdat hij zich altijd afzijdig had gehouden. Zijn eigen gang was gegaan en steeds vertrok wanneer het hem niet meer zinde. Hij kon zich idyllische herinneringen veroorloven, hij hoefde nergens mee af te rekenen.

❖

Het was een uur of acht, moe sliep op haar stoel. In het logboek las Gerard het verslag van de afgelopen week. Veel stond er niet in. Nu moe al bijna vijf jaar ziek was, werden de notities van zijn broers en zussen steeds korter. Hij pakte een pen en schreef:

Wie wil de mouw van mijn prachtige bruine trui maken, zodat het rafelproces gestopt wordt. Bij voorbaat dank. Voor belangstellenden: ik heb eventueel meer. (Gerard, november 1993)

Hij kocht zelden wat nieuws. In zijn huis stonden al jaren dezelfde meubels. Dat de kleur van de gordijnen allang niet meer in de mode was, kon hem niet schelen. Misschien gedroeg hij zich nog altijd een beetje als de armlastige, solitaire student die hij ooit was. Hij gaf meer om zijn vrijheid dan om mooie spullen of veel geld.

Sinds een aantal jaren had hij aan huis een eenmansbureau voor rechtshulp. Elke ochtend ging hij in een kamertje boven zitten om te werken. De zaken liepen goed. Maar als er toevallig niemand belde, ging ie niet als een gek proberen een opdracht binnen te halen. Dan liep hij fluitend weer naar beneden en ging hij de krant lezen.

Het was opvallend hoe verschillend de werkers en de professoren in de familie omgingen met geld en bezit. 'Zit je nou nog op die sinaasappelkistjes, Maarten', kon Martien roepen op een verjaardag.

Het had niet alleen met inkomen te maken. Maarten en Nico konden als leraar best een betere auto kopen dan een Lada. En zelf hoefde hij ook niet echt in een tweedehandsje te rijden. Het interesseerde hem domweg niet. Als hij een afspraak had met een belangrijke klant, huurde hij voor een dag een dure auto en trok hij een colbertje aan dat Piet hem ooit had gegeven.

Misschien kochten zijn zakenbroers hun onvrede af met luxe. Het kon best dat zij onbewust jaloers waren op de jongens die wel de kans hadden gehad om te studeren. Zo'n studie bood toch een ruimere blik op de wereld, een geestelijke verrijking die oneindig veel meer waard was dan een tweede huis.

Ze spraken er niet over. Hij had ook aan niemand een hekel. Maar ze waren verschillend, onvermijdelijk. Met Maarten, Nico en Frans kon hij altijd het beste praten. Die deelden zijn interesse in cultuur, klassieke muziek, politiek. Wat wisten Piet of Jan nu van de actuele situatie op Cuba, of van de klassieke oudheid? 'Als ik op een verjaardag tegen Jan begin over mijn prachtige reis langs de Via Appia', had Maarten weleens geklaagd, 'kijkt ie meteen de andere kant op.'

Hij legde zijn bruine trui op het dressoir. Hopelijk wilde een aardige verzorgster zich erover ontfermen. Moe had haar ogen opengedaan. Kon ze iets volgen van het programma op televisie? Haar rechterhand hield ze krampachtig naar binnen gebogen. Ze kon hem niet meer strekken. Door het stil zitten waren haar spieren verstijfd. Het zag er akelig uit.

Het was onvoorstelbaar hoe lang moe nog leefde na haar attaque. Hij maakte altijd het oppasschema voor alle broers en zussen. In het begin had hij steeds een maand vooruit gepland. Maar inmiddels maakte hij roosters voor een half jaar.

Moe ging zo langzaam achteruit, dat hij er amper erg in had. Toch moest ze af en toe dicht bij de dood zijn geweest, als hij het logboek mocht geloven.

Om 15.30 wilde mevrouw niet uit bed. Ook pogingen om 16.00 en 16.30 uur mislukten. We hebben wat ge-praat. Ze voelde zich somber en sprak over de dood. Ze is hier overigens niet bang voor. Mevrouw zegt zelf dat het einde nu nadert. Gisteren zou ze al van iedereen afscheid hebben genomen. (Verzorgster Toinny, 2 juli 1990)

Blijkbaar liet ze eerder aan de verzorgsters zien dat ze het wel genoeg vond, dan aan haar eigen kinderen. Ook zuster Bernarda sprak met haar over de dood.

Vanmiddag lag mevrouw steeds met wijde ogen naar boven te kijken. Ik ben wat met haar gaan bidden om overgave. Een maand geleden stond ze er afwijzend tegenover, ze wendde haar gezicht af, nu beaamde ze en knikte zelfs ja, toen ik zei dat ik vond dat Onze Lieve Heer haar niet meer moest laten lijden. (Zuster Bernarda, 12 mei 1991)

En laatst weer:

Het valt mij op dat wanneer ze haar ogen open heeft, ze voortdurend naar boven kijkt. Ik heb een poosje met haar gepraat over de hemel, toen keek ze mij heel doordringend aan. (Zuster Bernarda, 23 oktober 1993)

Hij wist niet of moe naar de dood verlangde. In de tijd dat ze nog wel af en toe wat zei, had hij nooit geprobeerd er met haar over te spreken. Maar hij wist wel dat zijn moeder zo gelovig was, dat het niet in haar zou opkomen de dood op welke manier dan ook te bespoedigen. Ze legde haar lot in Gods handen. En het was niet aan hen, de kinderen, om daar tegenin te gaan. Zo lang ze niet echt leed, moesten ze haar blijven voeden, al dan niet met een plastic spuit. Althans, zo dacht hij erover. Hoe zijn broers en zussen het zagen, wist hij niet goed. Ze hadden het er eigenlijk niet over.

'Moe is razend', had Piet zich weleens laten ontvallen. 'Daarom houdt ze haar kop.' Maar hij geloofde dat niet. Het was niet dat moe niet wilde praten. Ze kon het gewoon niet meer. Na de hersenbloeding moest die functie zijn uitgevallen. Maar ze hoorde en begreep nog alles. 'De paus was weer helemaal in Zuid-Amerika', vertelde hij, wanneer hij iets wilde zeggen dat haar aan zou spreken. En dan knikte ze. Of: 'Is pastoor nog geweest, om de communie te brengen?' Ook dan liet ze merken dat ze hem snapte.

Hij had ook weleens iets tegen haar gezegd wat hij vroeger, toen ze nog wel terugpraatte, waarschijnlijk niet zou zeggen. 'Kent u Jorge nog, en Carlos? Mijn zonen uit Colombia? Het zijn zuivere jongens, moe. Ze zijn net zo zuiver als u.'

Moe had nooit spelletjes gespeeld. Ze roddelde niet, ze zette hen niet tegen elkaar op. Ze hield zich in. Ze was van nature goed. Of had het haar soms moeite gekost haar mening in te slikken? Misschien hadden ze haar slecht gekend. Moe hield zich altijd op de achtergrond. Hij had zich eigenlijk zelden afgevraagd wat ze nu precies dacht. Ze wás er, altijd. Dat was genoeg. Ze stopte stiekem een stuk worst in zijn tas als hij op maandagmorgen naar Amsterdam vertrok. En ze schreef hem opgewekte brieven toen hij in Parijs zat – waarin ze over iedereen wat vertelde, behalve over zichzelf.

Hij liep naar de keuken en pakte koffie voor moe. Voorzichtig probeerde hij of ze uit een kopje wilde drinken. Maar ze hield haar lippen stijf op elkaar. 'Toe moe, wilt u niet wat koffie?' Even opende ze haar mond.

Hij morste met de koffie, moest een doekje halen om haar jurk schoon te vegen. De vlek ging er niet uit.

Hij pakte haar hand vast, om te kijken of ze haar vingers kon ontspannen. Maar dat lukte niet. Ook moe's bovenlichaam vergroeide. Haar hoofd zakte steeds meer weg tussen de schonkige, opgetrokken schouders. Misschien had moe pijn.

Maar ze moest het ook waarderen dat ze hen allemaal weer om zich heen had.

Zo gauw één van de kinderen binnenkomt, fleurt jullie moedertje helemaal op,

had één van de verzorgsters ooit in het logboek geschreven. Zelf vond hij het in ieder geval mooi, om nog zo dicht bij zijn moeder te zijn. Hij kletste wat tegen haar, aaide over haar arm. En hij vond het lekker om de hele avond naar zijn eigen tv-programma's te kunnen kijken, zonder dat zijn kinderen er doorheen praatten of gingen zappen.

Het liefst sliep hij op zaterdagavond bij moe. Dan kon hij het de volgende ochtend rustig aan doen. Uitslapen, nog even de krant lezen in bed terwijl moe gewassen werd. Soms bleef hij tot een uur of drie 's middags hangen. Ze hadden een paar leuke verpleegsters in dienst, met wie hij het goed kon vinden.

Ik trof een jolige, druistige Gerard en een wakkere moeder aan. Gerard liep al zingende van olé, olé we are the champions achter de rolstoel door de kamer. (verzorgster Maaike, 11 maart 1990)

Ook kwamen veel broers 's zondags op bezoek bij moe. Hij zat soms weer urenlang met hen te bomen over de zaak en de politiek. Ze dronken koffie, namen er een borreltje bij om twee uur, lachten luid. Het was vaak net zo gezellig als vroeger. Zo lang moe niet ondraaglijk leed, mocht het van hem voortduren.

8 Martien [1946]

Moe staarde naar de televisie. Een show met Hennie Huisman, daar hield ze vroeger van. Martien las een boek van Marquez, maar kon zijn aandacht er niet goed bij houden. Zijn blik dwaalde steeds af naar zijn moeder.

Ze kon nog maar in één houding op haar stoel zitten. Haar magere knieën gebogen, haar handen naar binnen gevouwen op haar schoot, haar schouders opgetrokken. Als ze op haar neus wilde krabben, vond ze haar hand terug in d'r haar.

Hij probeerde zich weleens voor te stellen hoe het zou zijn om je bijna niet meer te kunnen bewegen. Hij dacht dan terug aan de keer dat hij een hernia had gehad. Het was in Nieuw-Zeeland, hij maakte met zijn tweede vrouw een reis met een camper. Ze kwamen nergens. Hij lag plat op bed en verroerde zich niet. Het was alsof er tien mannen met messen in zijn rug zaten te rammen.

Moe liet het wel niet merken, hij wist zeker dat ze pijn had in haar vergroeide botten en verstijfde spieren. Klagen deed of kon ze niet. Ze was aan hun genade overgeleverd. Laatst nog had hij haar van top tot teen schoon moeten boenen. Ze was aan de diarree en had in haar bed gepoept. De stront zat overal. Hij had amper durven kijken, toen hij een washandje over haar billen haalde. Niet alleen omdat hij het zelf gênant vond, maar vooral omdat hij wist dat zijn moeder zich schaamde.

Zes jaar duurde de ellende nu al. Maar de verpleegsters en zijn zussen Toos en Marian, die ook een dag per week de verzorging op zich namen, bleven in het logboek opgewekt verslag doen.

Nog even zeggen dat ze genoot van de boerenkool met héél fijn gesneden worst in combinatie met Maria-liederen! (Toos, 19 oktober 1994)

Zelf schreef hij nooit wat. Hij vond het een leugen, het hele verhaal. Al wat hij in zijn moeders ogen zag, was doffe berusting, pijn en kwaadheid. 'Dat me dít nog moet overkomen op m'n oude dag', had ze helemaal in het begin tegen hem gezegd. Ze was boos, teleurgesteld. Bang voor de verwording. Daarom had ze ook al snel geen stom woord meer gezegd. Ze kon aanvankelijk best nog praten. Maar wat moest ze zeggen tegen kinderen die haar dit aandeden.

'Moe vindt het héérlijk ons allemaal nog om zich heen te hebben', zeiden sommige broers en zussen. Alsof ze daar nog benul van had. Ze dementeerde immers, of had niemand dat gezien? Zijn moeder verkeerde in een schimmige wereld waarin niemand haar kon bereiken en waarin ze zelf de weg kwijt was. Het moest er donker en angstig zijn.

Maar het was natuurlijk een leuk verhaal om te vertellen in het dorp. 'Ja hoor, we verzorgen onze moeder nog steeds met z'n allen.' Het wás hun feestje niet, of zag alleen hij dat zo?

'Geef mij maar red libanon als het ooit zover met me komt als met moe', had hij tegen zijn kinderen gezegd.

Hij zou zijn dagen wegpaffen in een zoete marihuana-mist die alle pijn zou doen verbleken. En als dat niet meer hielp, zou hij overgaan op zwaardere stuff. Tot het einde aan toe.

Misschien zou hij het moeten zeggen. 'Jongens, moe lijdt vreselijk. Dit kan zo niet langer, we moeten er wat aan doen.' Maar voor Jo en Maarten, en misschien ook voor Nico en Gerard, zou euthanasie onbespreekbaar zijn, dat wist hij nu al. Die waren niet van God los, zoals hij. 'Nee zeg, dat zou moe nooit gewild hebben.' Hij hoorde ze het al zeggen. 'Moe was zo gelovig.'

Het was ook een onmogelijke keuze. Moe ging zo langzaam achteruit, dat je moeilijk kon zeggen wanneer en waarom het genoeg was. Ze hoestte een tijdje erg, had het benauwd, maar dat kon toch geen reden zijn om haar een spuitje te geven. En laatst had ze een akelige doorligwond op haar heup, maar of die nu een ondraaglijk lijden veroorzaakte, wist niemand.

En al kreeg ze iets ernstigs. Al kwam er een aanleiding. Dan nog zouden ze er niet uit komen, met z'n twaalven. Lafaards waren ze. Vroeger hadden ze ook altijd door stilzwijgen de harmonie bewaard. Dus wie durf de er nu te zeggen: dit is mensonwaardig, we moeten moe uit haar lijden verlossen?

Als hij het rijtje afging, stuitte hij bij iedereen op bezwaren. Toos had, ondanks haar moederlijke neigingen, niet genoeg gezag om haar mening door te drukken. Jan bemoeide zich niet veel met de familie. Piet durfde niet op een dokter af te stappen. Nico werd te veel gezien als een dwarsligger. Gerard was geen voortrekker. Zelf werd hij misschien niet serieus genoeg genomen. Marian vonden ze een buitenbeentje. Frans was oké, maar had als kleintje misschien niet voldoende stem. Guus had datzelfde probleem. En Lucie... ja, die was dan misschien de enige van wie ze het allemaal zouden accepteren. Iedereen vond Lucie aardig. Maar het was de vraag of ze het lef had om een beslissing te nemen.

Moe hield niet van ruzie in huis. 'Hou jullie mond, ga wat doen.' Nu, hier waren ze dan, haar twaalf kinderen. Thuis hadden ze het altijd goed met elkaar uitgehouden omdat ze zich niet te veel met elkaar bemoeiden. En zo, met dezelfde afstandelijkheid en omzichtigheid, ontweken ze ook nu de allermoeilijkste vraag.

De show van Hennie Huisman was afgelopen. Hij gaf moe een paar slokjes koffie met de plastic spuit. Ze slikte gretig, terwijl ze hem strak bleef aankijken. Hij wist niet of ze hem herkende.

Meestal zei hij niet veel de hele avond. Hij kon haar toch niet gaan toespreken als een kind: 'Zó, we gaan je straks lekker een schone luier omdoen.'

Vroeger hadden ze ook niet veel gepraat. Toch had hij het goed gehad met moe. Hij herinnerde zich de donkere, koude winterochtenden, wanneer hij eerder wakker was dan de rest en als eerste naar beneden ging. Moe was dan al in de keuken bezig. Ze zette thee, sneed grote plakken kaas van een Edammer. Ze had de snelste handen van de wereld. 'Ben je er al, ga maar bij de kachel zitten.' En dan mocht hij op het houtvaatje zitten en kwam moe hem een broodje met roomboter brengen.

Ze was een Maria in burger. Terwijl hij toch niet zou kunnen zeggen wat ze dan zo goed had gedaan. Er waren geen leuke uitjes geweest, geen cadeautjes, privileges. Laat staan intieme onderonsjes. Maar moederliefde kon kennelijk ook zonder dat alles worden overgebracht.

Hij legde zijn boek opzij. Moe was in slaap gevallen. Ze zat nog precies hetzelfde als drie uur geleden. Hij ging even een rondje lopen, hij kreeg het benauwd binnen.

❖

Hij zat zelden vroeger. Hij zwierf over het erf, huppel-
de, rende. Altijd enthousiast, altijd in voor spelletjes en
lol en kattenkwaad. 'Dat zal Martien wel gedaan hebben', zeiden zijn broers en zussen als er iets kapot was
gegaan, wegraakte, of anderszins fout afliep.

Ze hadden een lorrie, zo'n grote houten strandlorrie. Ze
zetten Frans en Lucie erin en renden ermee over het erf,
zo hard dat de kleintjes het uitkraaiden van pret. Tot
de lorrie versleten raakte, de wielen eraf vielen en het
ding strandde in de boomgaard.

Op een dag, hij was een jaar of negen, gingen Piet,
Gerard en Lucie in de kapotte lorrie zitten. 'Kom op
Martien, trekken!' Hij aarzelde, wilde weglopen. Maar
ze bleven roepen. 'Trekken Martien! Twee meter maar,
tot aan die boom. Dan krijg je een voetbalplaatje van
me.' Dat was Piet. Die had de beste plaatjes van voetbal-
lers.

Hij liep op de lorrie af. Het had net geregend, het gras
was glad. Misschien zou dat helpen. 'Rije, rije!', gilde
de kleine Lucie. 'Zonder wiele!' Hij pakte de boom van
de lorrie en begon te trekken. Er was geen beweging in
te krijgen. Hij trok harder. Nog harder. De lorrie begon
te schuiven. Vijf centimeter, tien centimeter. Daarna
was er alleen maar pijn, een stekende pijn boven in zijn
been.

Hij had zich een liesbreuk getrokken, zei de dokter.
'Hoe krijg je dat nou voor elkaar, jongen?'

In het ziekenhuis lag hij alleen, in een kamertje met
glazen wanden. Elke dag kwamen pa en moe op visite.
Zijn broertjes en zusjes moesten buiten blijven. Jo, Toos,
Jan, Piet en Gerard stonden op een rijtje voor het raam

en staarden hem beduusd aan. Ze hadden hun haren raar netjes gekamd. Hij durfde niet terug te kijken. Ze zouden dan zeker gekke bekken gaan trekken. En de dokter had gezegd dat hij niet mocht lachen.

Er had nog nooit iemand van hen in het ziekenhuis gelegen. Hoogstens hadden ze een keer een griepje. Dan werden de enige twee luie stoelen in het huis tegen elkaar aan geschoven en mocht je onderuit hangen met de ingebonden *Katholieke Illustratie*.

Toen hij thuiskwam, gaf moe hem lekkere, kleine rode appeltjes. Die kreeg anders nooit iemand. En hij mocht ze in z'n eentje opeten.

Zijn eerste herinnering: hij was een jaar of drie, moe had hem achter op het pleintje aan een boom gebonden. Zijn neefje Lau Ruijter stond er ook, aan een ander touw. Ze speelden met elkaar, raakten hopeloos verstrikt en krijsten het uit.

Of dit verhaal, dat hardnekkig de ronde bleef doen: hoe ze hem als baby 's middags in een mandje in de boomgaard hadden gezet en helemaal waren vergeten. Pas 's avonds laat riep moe: 'Waar is Martien?!' Zijn zussen renden naar buiten, waar ze hem vonden onder een appelboom, slapend in de zomerwind.

Hij hoorde later sommige broers wel klagen. Dat verjaardagen werden vergeten, dat je nauwelijks aandacht kreeg. Misschien was het ook wel jammer dat hij die ene keer op de bewaarschool niks te trakteren had toen iedereen lang zal ie leven voor hem zong. Maar hij had met niemand willen ruilen. Zij hadden hun erf, een gigantisch rommelerf waar elke dag wat anders te beleven viel.

Er zat een varkentje in het kippenhok. Bijna was hij eraan voorbij gerend. Maar het was echt waar. Er zat een dik, klein varkentje in het kippenhok. En nu had hij wel duizend vragen. Want van wie was dat varkentje en wat deed het daar, in het kippenhok. Wie had het erin gestopt. Hoe lang zou het er blijven zitten, werd het misschien geslacht. En moest hij het niet tegen iemand vertellen, van dat varkentje.

Zo ging het steeds. Hij zwierf rond en plotseling zag hij iets wat hem voor raadselen stelde. En geen volwassene in de buurt aan wie je opheldering kon of durfde te vragen. Waarom gooide ome Jo de puddingachtige nageboorte van een koe zomaar langs het pad? Waarom gaven ze de varkens bierslobber, zodat ze slingerend door hun stal liepen? Waarom kreeg het paard van de buren een kogel door z'n kop en viel het stuiptrekkend neer naast de sloot?

De kuikens waren ook raar geweest. Op een dag kwam hij op de hooizolder van ome Jo. Liepen er honderden piepkleine kuikens rond. Er waren er ook al heel wat dood. Het stonk vreselijk. 'Het is handel, jongen', zei ome Jo. Meer niet. Het duurde nog dagen voordat hij begreep hoe het zat. De kuikens waren van buurman Van Diepen. Die wilde ze groot en dik laten worden en dan verkopen. Maar hoe kon ie er rijk van worden, wanneer de meeste kuikens het loodje legden?

Zo lang je niks kapot maakte, mocht alles. Hij had een hut in de grote wilgenboom, met uitzicht op het voetbalveld. Uren kon hij daar ongestoord zitten dromen. Hij ving met zijn broertjes vette karpers in de sloot en bakte ze aan een tak boven een vuurtje. Hij sneed pijlen-bogen, zocht eieren in het weiland. Hij zat hoog boven op de hooiwagen wanneer die in de avondschemer naar huis reed en voelde zich een koning.

Kinderen van latere generaties konden misschien leuk praten met hun ouders. Maar die groeiden op in nieuwbouwwijken met twee schommels en een wipkip en anders niks om over te fantaseren.

's Morgens, voordat hij naar de kerk ging, voerde hij de kippen. Meestal nam hij zelf ook een handje maïskorrels. Op een dag zag Gerard hem eten. 'Dat is een doodzonde, wist je dat', zei Gerard. Je loopt nu te vreten en straks ga je te communie, dat mag niet van pastoor.'

Hij schrok. Nooit aan gedacht. 'Wat maakt dat nou uit joh, zo'n handje kippenvoer', zei hij. Maar 's avonds, in bed, lag hij te draaien. Meestal zong hij zichzelf in slaap met leuke liedjes als 'De blanke top der duinen'. Net zo lang tot zijn broers riepen dat ie z'n kop moest houden. Nu was hij stil. Hij kwam in de hel, zonder meer. God zou geen medelijden hebben.

Hij sliep in z'n eentje op de overloop. Het was stil in huis. Op zolder lagen zijn broers te snurken. Hij gleed uit bed, knielde op het zeil, vouwde zijn handen. 'Sorry God, ik had zo'n honger. Ik wist niet dat het erg was.'

Eigenlijk zou hij het moeten opbiechten bij pastoor. Maar het was te erg. Het viel niet met een paar weesgegroeten op te lossen. En bij zijn moeder hoefde hij er ook niet mee aan te komen. Maandenlang zat het hem dwars. Hij moest het tegen iemand zeggen. Maar hij wist niet tegen wie.

Op een middag zag hij tante Jo Ruijter de was doen, in de schuur. Ze draaide het natte goed door de wringer en zong met hoge stem van 'O Jezus barmhartigheid'. Elke keer wanneer de wringer vast zat en ze extra kracht moest zetten, haalde ze uit: 'O Jééézus, barmháááártigheid.' Ze leek in een goed humeur, tante Jo.

'Mag ik u iets vragen.' Hij stond in de deuropening.

Ze keek hem verbaasd aan. Het zweet stond op haar voorhoofd. Haar handen waren rood van het sop. 'Wat is er, Gerard.' Ze kon hen nooit uit elkaar houden. Dat had moe ook weleens, als ze het heel druk had. Dan riep ze: Jan, Piet, Nico... enne... hoe heet je ook alweer?'

'Ik heb eh...' Hij vertelde hoe verschrikkelijk het was wat hij had gedaan. Dat hij eeuwig zou branden in de hel. En dat hij niet wist wat hij nu moest doen.

Alles had hij verwacht. Maar niet dit. Tante Jo begon te lachen, te schateren van het lachen. Ze hield haar buik vast. 'Jongen, ik eet altijd voordat ik te communie ga! Ik denk altijd maar zo: de apostelen hebben tijdens het laatste avondmaal ook lekker gegeten en gedronken en daarna gingen ze allemaal te communie, niks aan de hand.' En ze ging verder met wringen, zingend van 'O Jezus barmhartigheid'.

's Avonds in bed bad hij een weesgegroetje voor tante Jo.

Hij wilde niet. Hij wilde echt niet. Wie naar de hbs ging, werd leraar of kantoorbediende. Die zou de rest van zijn leven binnen zitten met dertig etters van leerlingen of dikke ordners vol papieren. Maar pa was vastberaden. Nico en Gerard hadden ook geen zin gehad en zie wat er van hen geworden was.

Tot dan toe had hij bij de besten van de klas gehoord. Maar aan het einde van de vijfde zakte hij welbewust af naar de twee- of drieëntwintigste plaats. 'Ik denk dat de tuinbouwschool beter is, pa', zei hij met zijn rapport in zijn hand. 'Dan kan ik ook het bedrijf in.' Maar pa wilde er niets van horen.

Hij kreeg bijles van meester Beenen, elke dag na schooltijd. 'Je moest tien sommen maken, Martien', zei Beenen op een bloedhete zomermiddag. 'Dit zijn er maar vijf.'

'Nietes, meester. U zei vijf. Daarna mocht ik naar huis.'

'Je blijft net zo lang zitten tot ze af zijn.'

'Dat is gemeen.'

'Wel potver...'

'Ik doe het niet.'

Meester Beenen stoof achter zijn lessenaar vandaan. Hij wilde hem een draai om z'n oren verkopen. Martien sprong op. Beenen achter hem aan. Ze zigzagden tussen de tafeltjes door, drie keer het lokaal rond. Martien verschanste zich achter de lessenaar.

'Rotjong!' Meester Beenen probeerde hem te raken. Er was geen uitweg. Hij gooide de lessenaar om. Boven op de meester. Zijn pak zat onder de inkt. Martien rende zo snel hij kon naar buiten.

'Dag meester', zei hij toen hij de volgende dag de klas binnenkwam.

'Dag hond', zei meester Beenen.

Ze gaven het niet zomaar op. Nu mocht Maarten hem bijspijkeren. Hij had zelden een woord gewisseld met zijn zeven jaar oudere broer. Maar Maarten nam zijn taak ernstig. Hij sprak over het lijdend voorwerp en Floris de Vijfde alsof dat zaken van levensbelang waren. 'Wat moet je nou in de tuin, Martien, met een studie schop je het veel verder.'

Ze kwamen een heel eind met hem, dat moest hij toegeven. Hij werd zelfs zonder toelatingsexamen aangenomen op het St. Michaël College. Hij heette Koelemeijer, het zou wel goedkomen.

Op een dag ging hij niet meer. Dat was de laatste uitweg. Het gewoon helemaal verdommen. Maarten bracht nog in pa's naam een bezoek aan school. Hij kende de rector persoonlijk, had beleefd gevraagd of zijn broertje misschien terug mocht komen.

Maar het hoefde al niet meer. 'Ga jij dan maar met die palmtakken aan de slag', zei pa, uiteindelijk. Het was vlak voor Pasen. Jan en Piet hadden het druk. Alle katholieke kerken in de streek hadden palmtakken nodig. Het was een enorm karwei om ze allemaal te knippen en te wassen.

Hij sleepte grote bossen met palmtakken naar de put op het voetbalveld schuin achter het huis, zette het gemaal aan en haalde de takken door het kolkende water, zodat alle prut eraf spoelde. Zijn handen zagen blauw van de kou.

Hij was veertien en zat nu ook in de zaak. Hij wilde heel hard zingen.

Het negende kind, altijd zijn eigen gang gegaan. 'Je redt je kont maar', zei moe. En dan moest hij nu zeker in één keer doen wat pa van hem verwachtte. Misschien hadden ze met hem moeten praten. 'Je kunt met een studie ook tuinarchitect worden, je hóeft niet op kantoor.' Maar er werd niet gepraat, alleen geluisterd naar koppig, stom verzet.

'Ga lekker achter die heg zitten en knip met je schaar in de lucht, dan denkt iedereen dat je hard bezig bent.' Ome Jo lachte. Ze waren samen aan het werk op de begraafplaats achter de Maria Magdalenakerk. Ome Jo was tegen tienen gekomen, na melktijd. Zo ging het altijd. Pa en ome Jo hadden het hoveniersbedrijf samen, maar ome Jo kwam pas helpen als het werk op de boerderij was gedaan.

Hij werkte liever met ome Jo dan met pa. Ome Jo was makkelijk. 'Die takken ruimen we niet op hoor, die schoffelen we wel een beetje onder het zand.' En dan zuchtte hij. 'Het is ploeteren, Martien.' Ome Jo vond het maar niks dat hij nu ook in het bedrijf werkte. 'Waarom ben je niet lekker warm op kantoor gaan zitten, stommerd.' Een leven lang zwoegen in kou en regen had hem niets opgeleverd. Althans: zo deed hij het voorkomen. Hij fietste nog altijd op dezelfde krakkemikkige fiets, snoerde zijn oude broek vast met een koetouw en knipte de heg met een verroeste heggenschaar.

Zijn oude oom kocht nooit iets nieuws, gooide nooit iets weg. Martien herinnerde zich hoe hij vroeger urenlang met zijn broertjes door de boerderij zwierf. In de mooie opkamer was een diepe kast met een spiegel tegen de achterwand en daarachter was weer een kast, waarin ze dozen vol vooroorlogse sigaretten vonden die ze blazend en hoestend oprookten. Er lagen ook oude foto's, tijdschriften, kranten. En ze zochten naar liefdesbrieven, want het verhaal ging dat ome Jo ooit een grote liefde was misgelopen.

Ome Jo verwaarloosde zichzelf. 'Trek die kleren toch eens uit man, je stinkt', klaagde zijn zuster met dezelfde naam, tante Jo. Net zo lang tot hij eindelijk bereid was zich te verkleden en ze zijn was kon doen. Soms ook werden een paar nichten met emmers en dweilen op hem afgestuurd. Maar meestal stonden die voor een gesloten deur, want als ome Jo vermoedde dat ze langs konden komen, draaide hij alles op slot.

Op de stoffige hooizolder verzamelde ome Jo alles waarvan hij dacht dat hij het ooit nog kon gebruiken. Oude fietsen, lampen, klompen, stukken hout, dozen vol kleren, een roestige kruiwagen. Ook in de broeikas achter de boerderij, waar de zussen en nichten op zaterdagavond met hun vriendjes stonden te vrijen, stapelde de rotzooi zich op.

Het werd ome Jo 'een beetje te veel allemaal', fluisterden ze op de buurt. 'Waar laten jullie al die troep?', riep ome Jo wanneer Martien en zijn broers met een bestelbus vol tuinafval het erf op reden. 'Bij mij op het erf zeker?'

Pas nog had zijn oom alle wilgenbomen op het erf ingekerfd, zodat de takken niet meer zouden uitlopen. De bomen groeiden hem letterlijk boven het hoofd.

Martien rolde de grasmaaier over het veld. Ome Jo knipte de kanten van het gazon. 'Zo, dat knapt weer lekker op, jongen.' Als de tuin er maar 'netjes' uitzag. Dat was voor pa en ome Jo het enige wat telde. Ze maaiden het gras, schoffelden het prachtig bloeiende speenkruid omver, veegden het straatje aan en gingen weer eens op huis aan.

Laatst had hij een klus gedaan voor meneer Mannheim, een joodse ondernemer uit Jisp. 'Even een opknapbeurtje', had pa gezegd. Maar toen hij met meneer Mannheim aan de praat raakte, bleek al snel dat die graag een groter terras wilde. En hij vond het óók een goed idee om een gedeelte van het grasveld om te spitten en te beplanten met mooie rododendrons.

Dat was pas handel. Hij had tegels verkocht, bakken vol groen. Ook had hij meneer Mannheim ervan overtuigd dat hij de groentetuin wel kon opdoeken, want wat kostten sla en andijvie nou nog tegenwoordig. Op de plek waar vroeger de aardappelen en de wortelen stonden, helemaal achterin, hadden ze een tweede terras aangelegd, waar meneer Mannheim ook 's avonds in het zonnetje kon zitten.

Pa had altijd zijn winst gehaald uit arbeid. Thuis had hij krachten genoeg. Bij een grote klus werd de hele familie opgetrommeld, professoren incluis, en reden ze de hele dag af en aan met kruiwagens zand. Hoeveel tuinen van nieuwbouwwijken hadden ze zo al niet opgehoogd met z'n allen, hoeveel flatpleinen betegeld. Maar nu kon er met het ontwerpen en aanleggen van één tuin al goed verdiend worden.

"'t Is ploeteren, jongen.' Ome Jo weer. Hij duwde op zijn buik. Zeker last van zijn liesbreuk. Al jaren liep ome Jo rond met een vreemde uitstulping. Maar naar de dokter ging hij niet. Hij hield de bobbel op zijn plek door een fietsband strak om zijn middel te snoeren.

Martien mompelde wat terug. Hij was er niet bang voor. Hij zou zich niet kapot werken. Het kon alleen maar beter worden.

'Wat denk je ervan?', zei pa. 'Meneer Klok zegt dat het een goede plek is om een nieuw bedrijf te beginnen. Het ligt misschien een beetje afgelegen. Maar volgens meneer Klok maakt dat niet uit. Over een paar jaar doet toch iedereen boodschappen met de auto.'

Hij zat met pa aan tafel. Voor hen lag de krant met de advertentie.

'Te koop: voormalige rozenkwekerij in Zuidoostbeemster. Langs verkeersweg van Purmerend naar Den Helder. Moet opgeknapt worden.'

Hij dacht pijlsnel na. Meneer Klok, een goede klant van hen, was bankdirecteur. Pa keek hoog tegen hem op en nam het advies dus serieus.

'Purmerend zal volgens meneer Klok alleen maar groeien', zei pa. 'En al die mensen hebben spullen nodig voor hun tuin.'

Martien kende de verkeersweg van Purmerend naar Den Helder. Het was een drukke, eindeloos lange weg. Links en rechts lagen huizen en boerderijen in de weilanden. Niet echt een goede plek voor een winkel. Welke huisvrouw uit Purmerend zou een paar kilometer willen fietsen om een plantje te kopen? Maar allicht had die Klok gelijk. Straks had iedereen een auto.

Hij wilde graag voor zichzelf beginnen. In Wormer, naast Jan en Piet, zou hij altijd het derde wiel aan de wagen blijven. Ze zaten er ook te dicht op elkaar. Vroeg of laat kregen ze geheid ruzie.

'Ik denk dat we het maar moeten doen.'

'De grond is ook niet duur, Martien', zei pa.

Zo kreeg hij een eigen zaak en een huwelijk erbij, want van samenwonen kon geen sprake zijn en een man alleen was ook niks. Het was begin 1968. Hij had net een half jaar verkering. Zijn blonde bruid droeg op de huwelijksdag een rok boven de knie en hij zag er nog jonger uit dan hij al was.

'Het huwelijk is altíjd een gok, Martien', had boer Dokter uit Wormer tegen hem gezegd. Hij wist weinig van de liefde en had ook geen tijd om zich erin te verdiepen. Het zou wel goed komen. Jo en Toos, die waren eindeloos op zoek geweest naar de juiste man. Maar al z'n broers trouwden toch ook met de eerste de beste die ze tegenkwamen.

Op een dag, begin jaren zeventig, zag hij zijn vader het erf op rijden. Pa zei geen hallo. Hij liep zoals altijd eerst even een rondje om te kijken hoe de tuin erbij stond.

Ze hadden indertijd een woestenij gekocht. Een stuk land dat was overwoekerd met onkruid, een oude schuur die bijna instortte, en een verwaarloosd woonhuis dat zijn jonge bruid bijna op de vlucht deed slaan.

Keihard gewerkt had hij, zeven dagen in de week. Er was een plantenkas gebouwd waar de klanten met een modern supermarktwagentje doorheen konden wandelen. Hij had bomen geplant voor de verkoop, gezorgd voor een assortiment tegels, vijvers en schuttingen, violen uitgestald, plastic tuinkabouters gezellig bij elkaar gezet, en een fontein aangelegd in de vijver langs de weg, die wel tien meter hoog spoot.

'Morgen, pa.'

Pa bromde wat terug. Hij keek zorgelijk. De sfeer thuis was er vast niet beter op geworden, sinds hij weg was. 'Loopt het goed in Wormer?', vroeg hij. Altijd diezelfde vragen, bij gebrek aan andere gespreksstof: loopt het goed, wat hebben jullie omgezet, was het druk zaterdag.

'Het gaat best', zei pa.

Ook in Wormer was nu een nieuw tuincentrum. Ome Jo was uiteindelijk, somber en moegestreden, naar het bejaardenhuis vertrokken. Op de plek van de boerderij hadden Jan en Piet een dubbel woonhuis met winkel gebouwd; een vierkante, moderne blokkendoos met een plat dak, grote ramen, bakstenen muren en grindtegels op de vloer.

Hij herkende soms het erf niet meer waar hij was op-gegroeid. De oude broeikas was neergehaald, de tufste-nen schuur was in een dag afgebroken, de appelbomen waren omgehakt. Alles zag er netjes en aangeveegd uit. Waar vroeger de boomgaard lag, vond je nu tegels, schut-tingen, vijvers, bloembakken en ander materiaal voor de tuin waar de bewoners van de nieuwe buurten nooit genoeg van hadden.

'Zit de loop er hier ook nog in?', vroeg pa.

Hij betrapte zichzelf erop dat hij opschepte, toen hij vertelde hoeveel klanten er de afgelopen weken waren geweest. Hoe tevreden de boeren in de Beemster waren over zijn fruitbomen. En hoe geïnteresseerd de rijkere import van Purmerend was in zijn tuinontwerpen.

'Heeft u weleens van Louis G. le Roy gehoord', vroeg hij, 'dé nieuwe tuingoeroe?'

Pa schudde zijn hoofd.

'Die man laat de natuur zijn gang gaan. In Heerenveen,

op de President Kennedylaan, heeft ie een pracht van een wildernis gecreëerd. Er komt geen snoeischaar meer aan te pas. Zo ver als hij kunnen wij niet gaan. Maar inspirerend is het wel.'

Hij vertelde verder over het succes dat ze hadden met hun vernieuwende aanpak. Sinds kort propageerden ze de 'natuur- en heidetuin'. Een tuin moest 'puur' zijn, vonden ze. Weg met de rozen, de coniferen, de kaarsrechte borders, de gemaaide gazons, de truttige bloemperken en vooral: het vele gif dat over elk perceeltje moest worden uitgestort om de natuur in het gareel te houden. In hun 'natuur- en heidetuinen' hoefde bijna niet te worden gespoten. Hoe wilder, hoe beter. Piet en hij maakten tuinen vol vaste planten en bodembedekkers, met speelse waterpartijen en slingerende boomschorspaadjes.

'Sinds we hier op het tuincentrum een voorbeeld hebben van zo'n natuurtuin, zijn de vaste planten niet aan te slepen, pa', zei hij.

Zijn vader knikte. 'Je moet aanvoelen wat de mensen allemaal willen tegenwoordig', zei hij. Het klonk vermoeid. 'Nou Martien, ik ga er weer eens vandoor, er is nog een hoop te doen.'

Martien keek hem na. Het was ook niet makkelijk voor pa. Kort geleden waren Piet, Jan en hij officieel als vennoten in de firma gekomen. Ze hadden er jaren voor moeten vechten. 'Pa, we moeten het regelen', zeiden ze. 'U wordt dankzij ons steeds rijker. En wij hebben straks geen cent om die dure, mooie zaak van u over te nemen.'

Maar pa vond het goed zoals het ging. Elke week gaf hij hun ieder 125 gulden 'huishoudgeld' in een envelopje, soms een bloemkooltje of een krop sla uit de tuin erbij. 'Jullie vertrouwen me gewoon niet', zei hij steeds. 'Het is later allemaal van jullie.'

'Maar wat als u iets overkomt, pa?', had Martien gezegd. 'Dan willen alle kinderen hun deel uit de zaak en
hebben wij al die jaren voor nop gewerkt.'

'Jullie geloven me niet, heb vertrouwen.'

Uiteindelijk waren ze toch naar de notaris geweest.
Zijn vader verloor zijn gezag, onvermijdelijk. Het waren
verwarrende tijden voor hem. Pa moest zich afvragen
waar het begonnen was, wie hij de schuld moest geven.
Had de school zijn zonen op verkeerde ideeën gebracht?
Was de kerk zelf het spoor bijster? Kon hij het de welvaart aanrekenen, het geld? De televisie? Of had hij toch
zelf misschien iets verkeerd gedaan?

Martien zag z'n vader naar zijn auto lopen. Pa draaide
zijn hoofd even opzij. In het raam van hun woonhuis
hing een groot pamflet tegen de oorlog van de Amerikanen in Vietnam. Daarnaast een poster van de CPN, de
partij waar zijn vrouw op stemde.

Op verjaardagen bij hen thuis werd in die tijd enkel gesproken over politiek. Hoe meer lege flessen er in de keuken stonden, hoe feller de discussies werden. 'Ik hoop
dat Ho Chi Minh zo snel mogelijk Zuid-Vietnam ver-
overt', zei zijn vrouw dan provocerend.

Dat ging hemzelf te ver. Hij had één keer CPN gestemd,
maar van die keus was hij al snel teruggekomen. De CPN
vond hij toch een beetje enge, fanatieke club, die blinde-
lings achter Moskou aanliep. Hij had niet het ene geloof
afgezworen om meteen het volgende te omarmen.

Zijn vrouw wist wie ze uitdaagde. Maarten hapte altijd meteen. 'Natuurlijk moeten de Amerikanen weg uit
Vietnam', riep hij dan. 'Maar hoe kunnen jullie toch alle
heil verwachten van het communisme, kijk naar de mis-
standen in Oost-Europa, de geestelijke terreur die daar
heerst.'

Maarten was, na een kortstondige carrière in de KVP, overgestapt naar de PPR, maar hij bleef, net als pa, altijd fel anti-communistisch. Hij lag er daarom een beetje uit. Vooral Frans, die nog linkser was dan Nico en Gerard, kon flink tegen Maarten ageren. 'Jij laat je beïnvloeden door de kapitalistische pers, Maarten', zei Frans dan geïrriteerd. 'Stomme *Telegraaf*-verzinsels.'

En dan wist Martien wel hoe het verder zou gaan.

Toos, die met een man uit een gegoede, tamelijk rechtse familie was getrouwd, was opgehouden hen tegelijk met haar schoonfamilie uit te nodigen. 'Hoe kun je nu een tweede huis kopen, terwijl de woningnood hier zó hoog is!', riep Frans eens tegen Toos' schoonzuster, toen hij hoorde dat deze een buitenverblijf in Oostenrijk had aangeschaft. 'Wat zijn dat voor een bourgeoispraktijken?!'

Toos had de hele avond zenuwachtig met hapjes rondgelopen, zag Martien, terwijl zijn broers steeds luider door elkaar praatten. 'Toe nou jongens', probeerde ze, 'hou het nou gezellig.' Toos kon er niet tegen wanneer de harmonie werd verstoord. En ze zou zich ook wel hebben geschaamd voor hun slordige kleding en lange haren.

Pa en moe zorgden er in die tijd voor dat ze op verjaardagen 's middags al bij hun kinderen op de koffie waren geweest. 'Je houdt je in hè, Tinus', hoorde hij moe soms fluisteren als ze in het halletje hun jas uittrokken.

❖

Moe lag al in bed, Martien bladerde nog wat in het logboek. Ze hadden met het bedrijf de laatste tijd twee keer de krant gehaald; de knipsels waren ingeplakt. In oktober 1994 was op zijn tuincentrum in de Beemster een restaurant geopend.

Vanuit heel Nederland komen mensen naar Koelemeijer om de modeltuinen te bekijken', vertelt Martien Koelemeijer. *'Het aantal bezoekers is ook dit jaar weer explosief gestegen. Vaak brengen ze hier zeker een halve dag door en op een gegeven moment begint toch hun maag te knorren...' (...)*

Het restaurant is onderdeel van de hele filosofie van ons tuincentrum', zegt Martien, die bijzonder trots is op het gigantische bedrijf in Zuidoostbeemster. *'Je kunt hier met een hoop mensen rondlopen. Op 20 duizend vierkante meter bebouwing loop je elkaar toch niet in de weg.'*

En in november was hun nieuwe filiaal in Zaandam open gegaan. Dat was Jans kindje. Hij herinnerde zich hoe Jan had doorgedramd. Jan wilde per se een tuincentrum beginnen op een groot bedrijventerrein aan de snelweg, naast de Gamma, de meubelzaak en het beddenpaleis. 'De omzet in Wormer loopt terug', zei Jan steeds. 'Mensen gaan niet meer in het dorp winkelen, ze gaan liever naar een overdekt mega-winkelcentrum.'

Zelf had hij zijn aarzelingen gehad. Nog een zaak? Nog meer investeren? Maar nu keek zijn broer hem breed lachend aan vanaf de advertentiepagina:

'Wij vinden het een uitdaging om van de 'roodste' gemeente van Nederland de 'groenste' te maken!'

'Grapje...!' Zo begint Jan, één van de gebroeders Koelemeijer, z'n antwoord toen wij hem vroegen wat ie nou precies wil met het unieke tuincentrum (pardon tuinparadijs...) in Zaandam. De derde vestiging van een inmiddels over het hele land beroemde naam. Uniek omdat dit het eerste, geheel overdekte tuincentrum (pardon, tuinparadijs) van Nederland is, waar het dus

ook met guur weer lekker vertoeven is. Wat u meteen al
kunt ondervinden met de prachtig ingerichte en meteen
al knusse kerstshow, ook al zoiets waarmee de gebroe-
ders Koelemeijer een faam hebben opgebouwd die tot
vér buiten Noord-Holland reikt.

Hij dacht terug aan de openingsavond van het nieuwe tuincentrum. Jan had geregeld dat de hele familie zou arriveren in grote, Amerikaanse limousines. Dat had 'stijl', vond Jan. Zelf had hij het een nogal burgerlijke vertoning gevonden. Maar hij had niks gezegd, zoals gewoonlijk.

Ze waren van andere werelden. Jan was graag 'meneer Koelemeijer'. Terwijl hijzelf op zijn tuincentrum het liefst rondliep in oude werkkleren. 'Is je baas er ook?', vroegen klanten weleens aan hem. 'Ja hoor, dat ben ik!', zei hij dan lachend.

Er was veel waarover ze van mening verschilden. Maar ze vermeden de confrontatie, al bijna dertig jaar. Ze gingen elkaar uit de weg, deden net alsof ze níet verwikkeld waren in een onzinnige competitie.

Hij herinnerde zich hoe Jan hem ooit, tot zijn verbazing, op een avond had gebeld. Ze belden bijna nooit. Maar nu moest zijn broer zeker iets kwijt.

'We hebben zo'n gewéldige omzet gedraaid met Pinksteren', zei Jan. En hij noemde het bedrag.

Hij had een stilte laten vallen. 'Dat is heel mooi, Jan', zei hij. 'Maar bij ons was het toch minstens twee keer zo veel.'

Toen gooide Jan de hoorn op de haak.

Moe lag nu te snurken. Hij ging nog even bij haar kijken. Haar gezicht was rustig. Ze moest gelukkiger zijn als ze sliep. Hij hoopte voor haar dat ze niet lang meer zou leven.

Om zijn vader had hij wel gehuild toen hij stierf, tot zijn eigen verbazing. Hij had een hele nacht liggen janken. Niet om wat er was, maar om alles wat er niet was geweest.

9 Marian [1947]

Het was een meisje. Na zes jongens op rij eindelijk een meisje. De broers, die, zoals altijd als er weer een kind kwam, uit logeren waren gestuurd, vertelden haar nog lang hoe erg het was geweest dat ze er niet bij mochten zijn.

'Ik hoorde dat ze elke dag slagroomtaart aten.'

'Je wilde naar huis, naar het meisje.'

'Van jou werd zelfs een foto gemaakt.'

Er bestonden geen babyfoto's van de anderen. Maar voor haar wandelde Jo met de kinderwagen naar Wormerveer, om bij een fotograaf een portret te laten maken.

Marian bewaarde de foto. Een in wit kant gehuld babymeisje keek met grote ogen in de lens, alsof ze zelf nog het meest verbaasd was over de eer die haar ten deel viel.

Haar benen waren het eerst gekomen, hoorde ze later van tante Leen, de buurvrouw die hen allemaal op de wereld hielp zetten. Haar benen eerst en daarna, net op tijd, haar hoofd.

Misschien was het een verrassing. Het kon ook dat tante Leen zoiets al had vermoed. 'Het is een stuitligging, Marie.' Maar dan nog zou haar moeder gezegd hebben: 'Geen drukte hoor, ik ga niet naar een ziekenhuis.'

Ze mocht blij zijn dat ze geen tik aan haar geboorte had overgehouden. Toeval of niet: háár kinderen lagen ook in een stuit en de bevallingen waren verre van gemakkelijk geweest.

Ze was stil, misschien nog verlegener dan sommige van haar verlegen broers en zussen. 'Verlegen scheet!', schold het meisje van Graas als ze naar de Mariaschool liep. 'Stomme verlegen scheet!' Pas na de derde klas ging het beter. Toen werden de meisjes ouder en pestten ze minder.

Op haar vierde wilde ze niet naar de kleuterschool. Moe bracht haar soms op de fiets. Maar zodra zij haar uit het zitje had getild, rende ze naar huis, terug naar het erf en de kinderen die zij wel kende. Soms ook verstopte ze zich. Dan lag ze, samen met haar even oude nichtje Lenie Ruijter, onder de tribunes op het voetbalveld achter het huis, terwijl Riek Ruijter roepend voorbijliep: 'Mariáááán!!! Lééénie!!!' Ze gaven geen kik. Pas als de school al lang en breed begonnen was, kwamen ze tevoorschijn. 'Blijf nu maar thuis', mopperde moe dan. 'Nu is het de moeite niet meer.'

Maar voor de lagere school kon ze zich niet langer verstoppen. Elke ochtend moest ze in de rij staan voor de deur van de Mariaschool. Op haar eigen stoeptegel, zoals alle meisjes. Na een teken van de zuster marcheerden ze in stilte naar binnen. De lokalen waren hoog en kaal. De kroontjespennen lekten. En de meisjes keken naar haar en deden haar blozen.

De non van de zesde klas las drie keer per jaar hardop de rapporten voor. Ze begon bij de besten van de klas en zakte langzaam af naar beneden. Het duurde altijd erg lang voordat zij zelf aan de beurt was. 'Marian Koelemeijer. Rekenen: een vijf. Taal: een zes-min. Gymnastiek...' Ze wilde naar huis, alleen maar naar huis. Haar broers waren studiebollen. Maar zij raakte in de war van cijfers en van d's en t's.

Soms, als ze alleen wilde zijn, kroop ze in de diepe hoekkast in de kamer. En dan zong ze:

Bats, bats, batselieda do do, bats, bats, batselieda do do...

Martien kon het jaren later nog nazingen. 'Hebben we je daarmee niet gepest, Marian?', vroeg hij een keer. Zaten wij je niet voor de kast te jennen: "Bats, Bats!" En jij zat daar met een snotneus...'
    Ze kon het zich niet herinneren. Ze wist niet meer waarom ze in de kast kroop. Ook wist ze niet meer wat haar moeder zei, of wat haar broers deden. Alleen dit ene beeld bleef haar bij: dat ze in de donkere werkkast zat, op haar hurken naast de stofzuiger, terwijl ze eindeloos hetzelfde lied zong:

Bats, bats, batselieda do do, bats, bats, batselieda do do...

Of het vervelend was in de kast, kon ze zich ook niet herinneren. Ze dacht er niet vaak meer aan later. En haar familie sprak er eigenlijk nooit over.

Maarten had Jos, Jo had Toos, Gerard had Nico en Piet, Jan en Martien hadden elkaar. Maar voor haar was er niemand. De werkende jongens deden te ruw, haar oudste zussen hadden hun werk en hun vriendjes, de studenten leefden in een andere wereld en Lucie was te klein om mee te spelen. Zij was alleen, maar dat was niet erg, want ze trok erop uit met nichtjes en vriendinnen.

De oudsten kwamen als kind zelden van het erf, maar voor haar, Frans, Lucie en Guus werden logeerpartijen en dagjes te gast georganiseerd bij de vele tantes in de buurt. Ze kregen er snoep en andere privileges waar de oudsten alleen maar van konden dromen.

Op een dag mochten ze naar tante Lies op de Veerdijk. Zij, Lucie, Frans, een paar Ruijtertjes en de kleine Guus. Ze gingen lopend, de hele Dorpsstraat af. Guus was gek op poezen en wilde zijn lievelingskat meenemen. Ze hadden het dier in de poppenwagen gelegd.

'Waar gaan jullie heen met die poes?', riepen voorbijgangers.

'Naar tante Lies op de Veerdijk! Op visite!'

Het was net een oude film. Zo'n nostalgische familiefilm waarop iedereen lacht, en die naderhand is ingekleurd met zoete, zomerse tinten.

Soms ontsnapte de poes en moesten ze met z'n allen achter het dier aan. De tocht duurde eindeloos. Ze waren vier, vijf, zes jaar oud en nog nooit zo ver van huis geweest.

'Daar zijn ze!', riep tante Lies toen ze de dijk op kwamen. 'Niet bij het water! Want één moment van onbedachtzaamheid, kan maken dat men jaren schreit!' Ze moesten er hard om lachen. Tante Lies had maar twee kinderen. 'Die jankt om niks', zei moe.

Moe zei dat ze allemaal gelijk waren. Toch waren de jongens een beetje meer gelijk dan de meisjes. Martien kreeg op zijn kop toen hij slechte cijfers had. Maar over haar rapport werd nooit iets gezegd.

Ze begreep het wel. Moe dacht: de jongens moeten het verdienen en de meisjes worden huisvrouw. Dus wat maakte het uit. En ze wilde ook niet doorleren. Ze zou blij zijn als ze van die rottige sommen en breuken was verlost. Het was helemaal niet erg om te leren strijken, koken en wassen op de huishoudschool.

Ze was stil, er werd niet erg op haar gelet. Misschien was het daarom dat ze zoveel van de anderen zag. Op een zomerdag, ze was een jaar of tien, zag ze pa en moe het weiland in lopen. Dat was raar. Ze liepen nooit samen naar achteren, voorbij de boomgaard en verder. Stilletjes sloop ze achter hen aan. Ze hield goed afstand, ze mochten haar niet zien. Pa en moe liepen helemaal tot aan de ijzeren molen. Daar verdwenen ze achter een van de grote stapels hooi die overal op het land stonden.

Ze klom over het hek en ging achter hen aan. Rennend van hooiberg naar hooiberg, bang dat ze haar zouden ontdekken. Maar pa en moe bleven zitten waar ze zaten. Er was alleen het zingen van de vogels, het geluid van haar snelle voetstappen in het gras.

Ze verstopte zich achter een hooiberg, vlak bij die ene waarachter pa en moe moesten zitten. Ze rekte zich uit. Nu kon ze hen zien. Pa en moe zaten naast elkaar, met hun rug tegen het hooi. Pa had moe's hand in de zijne. Moe huilde, haar schouders snikten. Pa haalde een hand over zijn wang. Ze huilden heel stil, alsof ze bang waren dat ook hier iemand hen zou horen.

Het moest om Jos zijn, die nu al meer dan een jaar dood was. Nooit had ze pa en moe zien huilen om Jos. Maar nu waren ze alleen, ver van hun kinderen, en kon pa een arm om moe heen slaan.

Ze moest denken aan die ene keer dat ze, toen Jos in de voorkamer lag opgebaard, even haar hand op zijn voorhoofd had gelegd. Het was eng. Zijn huid was koud als steen. Ze herinnerde zich de begrafenis, de soldaten die haar angst aanjaagden, de kinderen in de klas die haar vervelende vragen stelden. 'Hoe kon ie nou zomaar neervallen, die broer van jou.' Alles wilden zij van haar weten, maar ze had niets durven zeggen.

Pa en moe praatten nu met elkaar. Ze hoorde Jos' naam. Zo snel ze kon rende ze terug naar huis. Ze was vast de enige die pa en moe ooit had zien huilen, maar ze vertelde aan niemand wat ze had gezien.

Zij was het kind dat wist dat moe de Sinterklaascadeautjes verstopte in de grote kist met kleren op zolder, dat wist hoe de pakjes voelden en fantaseerde over wat er misschien in zat en voor wie.

Jo en Toos kregen liefdesbrieven. Ze sliep bij hen op de kamer en had ontdekt in welk kastje ze zaten. Op een keer, ze was een jaar of veertien, pakte ze heel voorzichtig een stapeltje enveloppen uit het kastje. Niemand mocht het merken. Ze moest alles precies zo terugleggen als ze het gevonden had.

'Lieve Toos', begon de eerste, 'het spijt me dat ik je zo lang heb laten wachten op dit schrijven...' Snel las ze verder. Hij schreef over zijn leven in dienst, over de andere soldaten en over wat ze aten. En tot slot: 'Ik denk aan je en duizend zoenen.' Dat klonk wel mooi. Dat mocht een jongen tegen haar ook best zeggen.

Ze las er een stuk of vijf. Meer durfde ze niet. Het waren saaie brieven. Eentje vroeg Toos 'of ze zijn laatste verzoek nu eindelijk serieus in overweging zou willen nemen omdat het wachten nu erg lang ging duren'. Toos zou wel nee gezegd hebben.

's Nachts, in bed, kletsten Jo en Toos eindeloos over de jongens die ze hadden ontmoet. Ze deed altijd alsof ze sliep, maar ze hoorde alles. 'Een petavond', zei Jo dan. Dat was echt een woord voor haar. 'Petavond.'

Zij was 15, Toos 25 en Jo 29. Ze wilde alles weten. Op school fluisterden vriendinnetjes over seks, maar thuis werd niks verteld. Ja, vlak voordat ze voor het eerst ongesteld werd, had Jo haar even apart genomen in de keuken en gezegd dat ze niet moest schrikken wanneer ze bloed in haar broekje zou vinden. 'Dat hoort er allemaal bij, het is niet vies.'

Maar wáárbij hoorde het? Dat zou ze weleens willen horen van Jo en Toos.

Soms kon ze haar ogen bijna niet openhouden van de slaap. 'Wakker blijven, wakker blijven', zei ze dan tegen zichzelf, 'straks komt het'. Maar nooit werd het wachten beloond, het geheim ontrafeld.

Jo moest als jong meisje altijd precies om twaalf uur thuis zijn. Maar toen Marian voor het eerst dansen ging, zei moe: 'Je redt je wel, hè.' Als ze door een jongen werd thuisgebracht, struikelde ze in de steeg soms over Jo, die daar stond te vrijen met haar verloofde. 'Ha Jo!', zei ze dan, maar dat vond Jo niet zo leuk.

Jo werd er chagrijnig van dat ze op haar dertigste nog steeds het huis niet uit was. De meiden van Ruijter waren allang getrouwd en moe maakte zich zorgen. 'Die jongen heeft toch een goede baan?', hoorde ze moe tegen Jo zeggen in de schuur, tijdens de was. 'Ja, maar het is zo'n stille', zei Jo, 'hij zégt helemaal niks.'

Ze snapte niet waarom Jo toch zo moeilijk deed. Zelf was ze niet kieskeurig. Ze vond het heerlijk als ze aandacht kreeg. En wat kon het haar nu schelen of een jongen veel geld verdiende, of katholiek was.

Ze werkte als hulp in de huishouding, hielp moe soms met de winkel en vond uiteindelijk een baantje als schoonmaakster in een ziekenhuis in Haarlem. Vloeren dweilen, lol trappen met een paar meiden op de mannen-afdeling. Het was gezellig werk. Soms ging ze met een paar collega's zomaar op woensdag eten bij de Chinees.

Toen er eind 1968 een kamer vrij kwam in het zuster-huis, aarzelde ze geen moment. Alleen in het weekein-de kwam ze nog thuis. Ze had genoeg van de ruzies tus-sen pa en Nico. Het zei haar allemaal niets: Vietnam, Cuba, de paus en een concilie. Als het aan Nico lag, keken ze alleen nog maar naar pratende hoofden op tv. Terwijl zij juist hield van komische series als *Stiefbeen en Zoon*, of leuke programma's over popmuziek. 'Kan die herrie niet wat zachter', klaagde pa dan.

'Jouw vader kan helemaal niet tegen een grapje', had tante Annie, een zus van moe, weleens gezegd. En dat was waar. Met de De Hanen, de familie van moe, kon je altijd lachen. Ome Jozef sloeg moe soms na een borrel-tje uitbundig op haar schouder: 'Och Marietje, Marietje toch.' Dan liepen de tranen over z'n wangen.

Je kon maar beter als de De Hanen zijn. Bij haar broers en zussen zag je het verschil ook. Maarten, Jan en Nico hadden dat felle, serieuze van pa geërfd. Die hielden er-van hun stem te verheffen, ze werden snel boos. Gerard en Piet waren veel makkelijker, goeiiger. Die leken meer op moe, net als zijzelf.

Het was een uur of twee 's nachts. Ze was uit geweest en lag net in bed. Op de overloop klonk gestommel. Haar moeder. Heel voorzichtig duwde moe de deur open, ze schuifelde op haar pantoffels over het zeil. Ze deed of ze sliep. Ze deed altíjd of ze sliep. Moe trok de dekens opzij. Even kijken of ze echt in bed lag. Ze voelde moe's hand over haar wang. Zacht, lief. De deur viel geruisloos in het slot.

Ze kon niet meteen slapen. Zou pa weten dat moe er altijd uit ging om te kijken of ze thuis was? Vast niet. Moe sloop zeker stilletjes uit bed en kroop er onopgemerkt weer in. Zoals ze zo veel stiekem deed. 'Laat die man maar, hij weet niet beter.'

Op zaterdagochtend, als pa aan het werk was, rookte ze altijd samen met moe een sigaretje. Pa hield er niet van als moe rookte, dus deed ze het alleen als hij er niet bij was. Alaska's met mentholsmaak, die vond moe wel lekker. 'Tenminste niet zo sterk.' Ze dronken koffie en zaten samen te blazen. De hele kamer zag blauw.

Ze dacht ook aan die ene keer dat ze op vakantie in Oostenrijk was geweest. Ze had een fles wijn meegenomen. 'Kom op moe, we nemen er één. Pa is toch niet thuis', zei ze. In de tuin dronken ze hun eerste glas. Ze vertelde over Oostenrijk. 'Was het eten daar wel goed?', wilde moe weten. Zo kletsten ze. Tot moe zag dat pa de steeg in kwam. 'O jee, daar heb je je vader.' Snel stopte moe het glas en de fles wijn achter haar rug en gebaarde naar haar dat zij hetzelfde moest doen met háár glas.

'Meid, maak het nou toch uit', fluisterde moe tegen haar in de schuur. 'Het kan niks worden met die jongen.' Dat had pa gezegd natuurlijk. Ze was negentien en ging sinds kort met een jongen uit Assendelft die aan de verkeerde kant van het dorp woonde.

'Kom hij uit de Noord of uit de Zuid', had pa gevraagd. 'Uit de Zuid.'

'Maar die zijn hervormd, dat kan niet.'

En nu moest ze het dus uitmaken. 'Je wordt ongelukkig met een niet-katholiek', zei moe in de schuur. 'Je kunt toch zo een andere jongen vinden.' Zo ging het altijd. Als pa het ergens niet mee eens was, moest moe de boodschap overbrengen. Zelf zei hij niks. Dat durfde ie zeker niet. Hij liet moe het opknappen. Moe liep altijd te schipperen. Ze moest pa tevreden stellen, maar ze wilde ook geen ruzie maken met de kinderen.

'Ik vind hem leuk moe. Ik wil ermee doorgaan.'

Moe zuchtte. 'Je moet het zelf weten. Maar wat moet ik tegen je vader zeggen?'

Ze wilde trouwen, met Klaas uit Assendelft. Het was haar droom om net zo'n sprookjesbruiloft te hebben als haar oudste zussen, voor één dag de prinses zijn. En haar vader mocht het feest niet verpesten.

De foto's van de trouwdag, eind 1970, plakte ze in een groot, wit album dat ze nog lang zou koesteren. Ze was een stralende bruid. D'r haar was hip gekapt, ze lachte breed op alle foto's. De trouwjurk van Lia, de vrouw van Piet, was misschien een beetje te kort, maar stond haar verder prachtig.

Lucie, Frans en Guus hadden vast niet van die mooie fotoboeken. Die gaven niet meer om een traditioneel huwelijksfeest. Je zag dat al wel een beetje op de foto's. Dat ze anders waren. Frans had lang haar en droeg een ribfluwelen jasje. Lucie zag eruit als een hippiemeisje, met die geborduurde jurk en dat lange, losse zwarte haar dat vanuit een middenscheiding over haar schouders golfde. En Guus had gewoon zijn cowboylaarzen aangehouden.

Pa keek op geen enkele foto chagrijnig. Ze had hem uiteindelijk toch mild weten te stemmen, door met Klaas een spoedcursus katholicisme te volgen bij pater Douma. 'Als je denkt dat die ouwe dan in een beter humeur is, oké', had Klaas gezegd.

Drie avonden moesten ze in de pastorie komen. Pater Douma had Klaas alles geduldig uitgelegd. Hoe de liturgie gevierd werd, wat de hostie was, wat hij wanneer precies moest doen. Hij was vriendelijk geweest. 'Je vader is geen gemakkelijke man, Marian', zei hij.

Op de laatste avond maakten ze een verkenningsrondje door de kerk. Klaas keek zijn ogen uit. 'Ik wist dat jullie van pracht en praal hielden, maar dat het zó erg was.' Gelukkig had hij alles goed onthouden. Hij maakte tijdens de plechtige dienst geen enkele fout. Pa feliciteerde hen na afloop hartelijk. Alles was zoals het moest zijn.

Het kruisbeeld dat ze van pa en moe cadeau kregen, hingen ze aan het lichtkoordje boven hun bed. Als je aan Jezus trok, ging het schemerlampje aan.

Op de trouwfoto's zag je bijna niet dat ze zwanger was en dat had ze ook aan niemand verteld, zelfs niet aan moe. Al zou die wel iets vermoed hebben. Ze was een keer zo misselijk, dat ze op het paadje in de tuin moest overgeven. Haar moeder keek net door het raam. Nu begint ze er wel over, had Marian gedacht. Nu kan ik het niet meer verbergen. Maar toen ze weer binnenkwam, lijkwit, had moe haar alleen bezorgd aangekeken en verder niets gezegd.

❖

Marian zette een plaatje op voor moe. Vroeger hielden ze van dezelfde muziek. De Arbeidsvitaminen op de radio als ze het huis doorwerkten. De Havenzangers, BZN, Johnny Jordaan, accordeonmuziek van John Woodhouse.

Kleine Greetje uit de Polder schalde door de kamer. Moe had zitten slapen, maar opende nu haar ogen. Ze leefde altijd op als ze vertrouwde muziek hoorde. Alsof de klanken van vroeger haar thuisbrachten, haar herinnerden aan wie ze ook al weer was. Toch draaiden haar broers en zussen nooit iets van De Havenzangers voor moe, die hielden er zeker niet van.

Ze lapte de ramen. Elke woensdag paste ze op moe en maakte ze het huis schoon. 'Is het geen aardig baantje voor jou?', had Toos gevraagd. 'Je kunt er wat mee verdienen.' Ze poetste al langer bij haar moeder. Vlak na pa's dood, in 1986, was moe vanuit Heiloo teruggekomen naar Wormer. Ze wilde weer dicht bij haar kinderen zijn. Vanaf die tijd hielp ze moe elke vrijdagochtend een paar uurtjes met de huishouding.

Ze hadden het altijd gezellig gehad. Moe was gul geworden, sinds pa er niet meer was. Ze haalde een harinkje voor hen tweeën, ze nam taartjes mee bij de SRV-man, al was er niemand jarig. Ook gaf ze haar eens honderd gulden. 'Geniet er maar van, kind', zei ze. 'Ik weet dat je het kan gebruiken.'

Moe werd in alles een stuk makkelijker. Als ze vroeger met pa bij haar op visite kwam, gingen ze altijd op tijd weer naar huis. Maar nu bleef moe soms tot acht uur 's avonds zitten. Ze hoefde toch voor niemand aardappels te koken, zei ze. 'Ga jij eens ijs halen', riep ze op een mooie zomeravond tegen Marians zoon, 'daar heb ik nou eens trek in!'

Marian had meteen ja gezegd, toen Toos haar vroeg of ze op woensdag wilde oppassen. Ze werkte verder niet, ze wilde er graag even tussenuit. Klaas was ziek en zat de hele dag thuis op de bank shaggies te roken. Hij deed ook raar soms, hij had schizofrenie in zijn hoofd, zei de dokter. Maar daar sprak ze met niemand over. Tegen haar broers en zussen vertelde ze dat hij 'zich niet helemaal lekker voelde'.

Meestal bleef Toos, die altijd op dinsdagavond oppaste, ook de volgende dag nog tot een uur of twee. 'Voor de gezelligheid', zei Toos. Maar ze vermoedde dat Toos ook een beetje op haar wilde letten. Toos was altijd bang dat moe het koud had, pijn leed, of niet lekker zat.

Wat ben ik blij dat ik wat versterking krijg in mijn eenzame strijd tegen de koude botten van mijn moeder. (Toos, 7 januari 1995)

Ze overdreef. Moe had het juist vaak te warm. Als Toos de kachel op dertig zette, stonden de zweetdruppeltjes op haar voorhoofd. Moe was wel erg mager geworden. Ze woog nu minder dan vijftig kilo. Haar huid was heel dun, bijna doorschijnend. Ze werd ook steeds zwakker. Er waren dagen dat ze akelig hoestte.

Mevrouw heeft vanmorgen doorlopend gehoest. Ik werd er zelf moe van en had medelijden met haar. (Zuster Bernarda, 9 september 1995)

Ook had ze nu vaker doorligwondjes, op haar stuit, of haar heup. Ze moesten haar steeds keren als ze in bed lag. Moe kon zich niet meer zelf omdraaien.

Mevrouw lag niet goed vanochtend toen ik binnenkwam. Helemaal gebogen met haar hoofd tegen het bedhek. Gezicht half in het kussen. Haar gezicht was rood, nat en warm. Mevrouw was ook erg incontinent van urine en faeces. De huid zag erg rood. (verzorgster Joke, 18 september 1995)

Ze vond het niet eng om moe te wassen en aan te kleden. Je raakte eraan gewend. Ze deed het al zo lang. Haar notities in het logboek hield ze ook altijd kort. Er veranderde toch niets?

Niets te melden vandaag. Alles goed. (Marian, 22 juli 1995)

Bijna zeven jaar zat moe nu stil op haar stoel. Ze kon het zich bijna niet voorstellen. Maar ze vond het niet erg. Ze dacht altijd maar zo: moe wilde nooit naar een bejaardenhuis. Pa had daar wel kunnen aarden, die had met iedereen een praatje gemaakt. Maar moe had een hekel aan bejaardenhuizen.

De plaat was afgelopen. Moe viel bijna weer in slaap. 'Toe moe, nog even BZN, daar hield u vroeger toch zo van?' Moe keek haar afwezig aan. Ze kon niet meer praten. Dat begreep Marian wel. Bij magere mensen ging alles achteruit, dus ook de spraak. Ze had de kracht niet meer om iets te zegen. En ja knikken deed ze ook steeds minder.

'Smaakte de tomatensoep lekker?', vroeg ik. Ze knikte duidelijk ja. Dat was lang geleden, zo'n reactie. (Toos, 15 maart 1995)

Gelukkig had moe geen pijn. Anders zou ze dat toch wel laten merken? Moe vertrok nooit haar gezicht.

Hopelijk kwam er nog iemand langs vandaag. Dat vond ze altijd leuk. Even kletsen met tante Annie, de zus van moe. Of koffie drinken met Jo.

Ze kon het met Jo altijd het beste vinden, ook al scheelden ze dertien jaar. Kort geleden waren ze zelfs samen een paar dagen naar Luxemburg geweest. Jo en zij waren het eigenlijk altijd met elkaar eens.

Ze had Jo ook meteen gebeld, toen Toos laatst zo cru

was geweest. 'Het mag weleens afgelopen raken met moe', had Toos gezegd. 'Het wordt zo'n lijdensweg voor haar.'

Ze was ervan geschrokken. 'Ze zullen toch geen plannen hebben om er een einde aan te maken', zei ze tegen Jo, 'met pillen of zo?'

Jo had gezegd dat ze daar niets van wist en dat zoiets gerust niet zo snel zou gebeuren. 'Moe zou dat zelf toch nooit gewild hebben.'

Maar ze had er nog vaak aan teruggedacht. 'Het mag weleens afgelopen raken.' Zielig toch. Moest je haar moeder zien. Ze genoot nog van de muziek, het zonnetje als ze buiten zat, haar kopje koffie. Van haar mocht het nog wel een tijdje duren. Het was gezellig bij haar moeder. En moe zou vanzelf wel doodgaan uiteindelijk, ja toch?

10 Frans [1949]

Die ochtend was er een brief van moe gekomen. Hij las hem op de bank in de huiskamer van de boerderij. Het was er een bende. Overal volle asbakken en lege bierflesjes. De meeste jongens sliepen hun roes nog uit.

Bijna vijf weken was hij nu al met Lucie en Nico Ruijter op Texel. Ze hadden een vakantiebaantje in popboerderij Sarasani, waar elke zomer veel Nederlandse bandjes optraden.

Wormer, augustus 1970

Beste Lucie en Frans,
Hoe gaat het ermee, ik hoorde dat jullie het goed maakten, ik heb al zoo lang niets van jullie gehoord,

schreef moe in haar ouderwetse meisjeshandschrift,

hier is het ook nog goed, Gerard en Nico zijn met vakantie dus we hebben het wel rustig, Niek is van de week pas gegaan want die had nog geen tijd die moest de timmerman aldoor helpen, die is nu klaar, en mijn kamer is alvast geschilderd en behangen maar nu staken ze

weer 14 dagen. Maarten en Trudie zijn weer thuis met
Astrid. Gerard is 14 dagen met hun opgetrokken en toen
naar Parijs gegaan en nu hoopt Niek hem daar te ont-
moeten. Guus heeft ook drie weken vacantie maar die
zal het dorp wel niet afgaan. Jo en ik zijn van de week
een ochtendje naar Amsterdam geweest, met Piet Meijer
een slaapkamerameublement uitgezocht, erg mooi, het
komt over drie weken. Luus, ik ga de 7 augustus naar
Toos, oppassen, dat is vrijdagavond tot dinsdagavond,
kom jij dan 's avonds met Marian dan wil ik wel weer
eens weg. Tante Gré en tante Lies zijn hier van de week
een dagje te gast geweest, we zijn lekker aan de wandel
geweest naar Jo. Ome Jan is bediend. Frans, ik kreeg net
je kaart, 16 augustus komen we op Texel, dan komen
jullie daar ook maar. Maarten en Trudie en Jacques en
Toos zijn van de week nog een middag aan het vliegen
geweest en Marian heeft op de kinderen gepast. Wat is
het nu weer een lelijk weer hè, het mag wel weer eens
mooier worden. Nu Frans en Lucie ik ben zoo'n beetje
uitgepraat. Guus is aan de tuin te maaien. Marian zou
eerst vandaag een dagje naar Friesland gaan maar dat
gaat nu weer niet door, nu de andere week.

Vele groeten van pa, Guus, Marian en van moe. Daaag.

'We komen op Texel!' Toe maar. Moe had geen idee.
'Alles goed, het is hier gezellig en we hebben mooi weer',
had hij een week eerder op het kaartje geschreven dat hij
naar huis had gestuurd. Hij kon moeilijk schrijven: 'De
muziek is helemaal te gek, iedereen is hier elke avond
knetterstoned, de vrouwen dragen geen bh's en Lucie
en ik doen goede zaken met onze snoepwinkel omdat
iedereen zich suf blowt en de zoetigheid niet is aan te
slepen.'

Ze hadden het baantje via via gekregen en wisten eerst niet wat ze ervan moesten verwachten. Erg aanlokkelijk klonk het niet. 'Een beetje de plees schoonmaken en jassen ophangen', had een vriend van een vriend gezegd. 'En als je er zin in hebt, kun je ook snoep verkopen, chocola en al die bende.'

Pa en moe hadden niks gevraagd. Lucie had net eindexamen HBS gedaan, hij had zijn eerste jaar sociologie erop zitten. Alles ging goed en het was vakantie, dus wat konden ze ervan zeggen.

Zijn oudere broers en zussen, díe hadden nog van alles gemoeten. Die moesten een goede, katholieke echtgenoot vinden, de eerste en beste student van het dorp zijn of bewijzen dat ze de zaak zelf konden runnen. Maar nu de meeste verwachtingen waren ingelost, het geld was verdiend en pa en moe de zestig waren gepasseerd, leek het allemaal niet zoveel meer uit te maken. 'Jullie gaan je gang maar', zei moe.

Hij dacht weinig aan thuis. Guus was nu alleen met pa en moe. 'Hij zal het dorp wel niet afgaan', schreef moe. Zijn broer moest gek worden van het gezeik van pa over de kerk.

Sarasani was een andere wereld. De boerderij lag net buiten Den Burg, midden in de weilanden. Discogangers durfden er niet te komen, die gingen dansen in De Koog. Er kwamen vooral hippe vogels; liefhebbers van lang haar, hasj, LSD en de blues, eindeloos de blues. Prachtige optredens had hij al gezien, van The Golden Earrings, Rob Hoeke en zijn band, The Motions en de huisband Yaptha.

Het was een puinhoop soms. Vorige week nog, toen Cuby and the Blizzards hadden gespeeld. Die idioten sloten een tuinslang aan op de tap, gingen in bed liggen en riepen af en toe: 'Bier! Doe ons nog een bier!' Waarna iemand de tap openzette en het bier rijkelijk hun kant op stroomde.

Niet dat hij zelf elke avond laveloos op een Perzisch tapijt lag. Blowen deed hij niet, hij hield er niet van suf en lui te zijn. Niks doen hadden ze nog nooit gedaan thuis.

Ze hadden een familiebedrijf. Lucie stond meestal in het snoepwinkeltje, een geïmproviseerde toonbank op een strategische plek tussen de zaal en de wc's. Hij en Nico beheerden de toiletten en de garderobe. Het was een prachtjob. Af en toe wat bleekwater door de pot spoelen, kwartjes tellen en intussen meedeinen op de snoeiharde bluesklanken die vanuit de schuur hun kant op waaiden.

Er waren nummers die nu al voorgoed hoorden bij deze zomer. Zoals dat ene van Traffic, *Mr. Fantasy*, wat was dat mooi. De Nederlandse band Les Baroques had het pas nog gespeeld in de schuur. Het ijle, dromerige begin van dat nummer greep hem altijd weer bij de keel:

Dear Mr. Fantasy
Play us a tune,
Something to make us all happy...
Do anything
To take us out of this gloom
Sing a song, play guitar, make it snappy...

Hij stopte de brief van moe weer in de enveloppe. Het werd tijd om Lucie op te zoeken. Die wilde niet op de boerderij slapen, tussen alle kerels, en kampeerde in haar eentje op camping Dennenoord. Ze ontbeten altijd samen, naast de juke-box in de kantine. Elke ochtend koos hij dezelfde nummers: *Honky Tonk Woman* van de Stones en *Margio* van Rob Hoeke.

Na het ontbijt zouden ze naar de groothandel in Den Burg gaan om pennywafels, rondo's en snickers in te kopen. Ze zetten op een avond vaak meer om dan de bar, want bier werd er amper gedronken. De blowers hadden alleen maar ontzettende trek in zoet, véél zoet.

'De gevulde koeken zijn dertig cent per stuk en drie voor een gulden', zei zijn mooie zusje Lucie lachend.

'Doe mij er dan maar drie', zeiden de meeste mannen.

Piet en Jan hadden de muziek in huis gehaald, eind jaren vijftig. Als jochie van tien werd hij 's ochtends wakker met Elvis Presley, Vince Taylor, Paul Anka en Little Richard. Gelukkig vond moe het best dat de werkers van zeven tot half acht hun favoriete nummers het huis in slingerden. Pa was toch al buiten.

Frans hield van die ochtenden. De muziek, de stemmen van de jongens en moe beneden ('nemen jullie je brood mee?'). En hij warm in bed. Blij dat hij een kleintje was, dat langer mocht blijven liggen en nog even niks hoefde.

Hij was vijftien toen hij voor het eerst uitging, op zondagavond in de Sociëteit in Wormerveer. De meisjes zaten aan tafeltjes, de jongens moesten hen vragen. Hij ging op dansles, maar lang zou die martelgang van foxtrot en tango en één-twee-drie-cha-cha-cha gelukkig niet duren, omdat stijldansen al snel uit de mode raakte.

Jo en Toos waren soms muurbloempjes geweest. Maar de meisjes die hij kende, hadden helemaal geen zin om lijdzaam langs de kant te zitten. Die wilden ook voor het podium staan, waar alles gebeurde.

Zo had je alleen radio Luxemburg en verder niks, en zo leek elk dorp, elke stad, zijn eigen popgroep te hebben.

Zijn grote neef, Lau Ruijter, zette een zonnebril op en werd manager, een echte bandmanager – en hij en Lucie mochten mee om achter de kassa van de zaal te staan.

Samen in de auto naar Hoorn, Hengelo, Geldermalsen of waar dan ook. Blues op de radio, weinig zeggen, een sigaretje roken, regen tegen de ramen en zachtjes met je hoofd op de maat wiegen. Dan de opwinding voor het concert; hij achter de kassa, met zijn lange bruine krullen, zijn laarzen en het manchesterjasje dat Jan vroeger droeg als hij werken ging en dat nu ineens heel hip was.

Ze spraken en dachten alleen over muziek.

'Heb je dat Zaanse bandje The Teckels nog gezien, in de Lindenboomschool in Koog aan de Zaan? Goed joh.'

'Lau had laatst alle bandleden van Cuby and the Blizzards mee naar huis genomen voor het concert. Hebben ze bij tante Jo spruitjes gegeten!'

Op zaterdagmiddag maakte hij huiswerk aan de achtertafel. Tegelijkertijd luisterde hij naar de top-40 op de radio. Dan begon Gerard, of Nico: 'Kan die herrie wat zachter? Ik kan zo de krant niet lezen.'

Zijn broers waren maar een paar jaar ouder, maar leken soms uit een andere wereld te komen. Je had ze moeten horen, toen ze nog op het St. Michaël College zaten. Op verjaardagen, na drie thee met rum, zongen ze een borrellied in het Latijn: *Io Vivat, Io Vivat...* Waarna er uitbundig werd geproost: 'Ad fundum!' Tot op de bodem!

Dat hoorde bij het gymnasium, zeiden ze. Maar in zíjn gymnasiumperiode, en dat was toch maar een jaar of vier, vijf later, werd er helemaal niet meer zo oubollig, zo corps-achtig gedaan. In een paar jaar tijd waren de studenten een stuk minder student geworden.

Hij deed ook andere dingen op de middelbare school.

Nico en Gerard zaten altijd te lezen of te studeren. Alsof er niks anders te doen was en misschien was dat toen ook wel zo. Het bezoeken van een bijeenkomst van een politieke partij vonden ze al een heel avontuur, waarvoor ze een stropdas omstrikten.

Maar hij ging na schooltijd tafeltennissen, zwemmen of repeteren voor de musical die ze met alle leerlingen opvoerden (hij speelde de duivel, pa en moe zaten vooraan in de aula). Hij ging met Lau Ruijter en de bandjes mee, of dansen op The Teckels.

'Oh, is ie van Koelemeijer', had de rector van het St. Michaël College gezegd. 'Laat hem dan maar in de proefklas komen.' Hij leerde graag en makkelijk en hoefde niks te bewijzen, dat hadden zijn broers al voor hem gedaan. Misschien maakte ook dat het leven lichter, vrolijker, vol van muziek.

Pa en moe waren het zat, na elf kinderen. Veel aandacht kreeg hij niet, hoefde hij ook niet. Hij had z'n broers, z'n zussen, z'n neven, z'n vriendjes. Die voedden hem wel op. De mensen in het dorp wisten vaak niet of hij er een van Koelemeijer was of van Ruijter. 'Jullie komen toch allemaal uit dezelfde steeg?' Ze waren een clan; ze hadden niemand nodig omdat ze genoeg hadden aan elkaar.

'Tamme Russen' noemden ze zichzelf. De Tamme Russen hadden een boomhut met twee verdiepingen, eigen schilden en een geheimtaal. Wie de geuzennaam had bedacht, wist al snel niemand meer. Maar dat het te maken had met de wilde, gevaarlijke Russen voor wie ze dagelijks door pa en de krant werden gewaarschuwd, was wel zeker.

Het spreken van Tamme Russisch was tamelijk eenvoudig, een kwestie van het vervangen van enkele mede-klinkers door rollende rrrr'en. Ik werd irre, niet werd nierre, taal werd taarre enzovoort. Ze stuurden briefjes in het Tamme Russisch naar hun 'lierre' majorettevrien-dinnetjes en beraamden in het brabbeltaaltje aanvals-plannen tegen hun aartsvijand, de jongens uit de Maria-straat. Die waren weliswaar ook katholiek, maar toch anders.

'Stomme Tamme Russen', scholden de Mariastraa-ters. En dan pakten de Tamme Russen hun knuppels, die ze overal verstopten in heggen langs de weg, en joe-gen achter hen aan. Ze voelden zich oppermachtig, want de Mariastraaters waren met veel, maar zij waren familie.

Misschien was het altijd gebleven, dat clangevoel. Zo gauw een gevaar van buitenaf hun veilige bolwerk dreig-de binnen te dringen, sloten ze de rijen. Solidair, één, want het falen van de buitenwereld was altijd erger en groter dan dat van henzelf.

Wat niet wil zeggen dat hij zich niet vaak vervreemd voelde van zijn oudere broers en zussen.

Het was in de tweede klas van het gymnasium op het St. Michaël College. Zijn rooster brandde al weken in zijn tas. 'Grieks en Latijn: Maarten Koelemeijer.'

Maarten kwam de klas binnen. Hij gaf alle leerlin-gen een hand om zich voor te stellen. Ook hem. Het was geen stevige hand. Misschien twijfelde Maarten zelf ook of dit wel een goed idee was.

Er werd gegiecheld. Achterin ontstond onrust. Niet veel later schreeuwde zijn broer voor de eerste keer 'STILTE!' en tuurde hij zelf in zijn boek, alsof hij het niet hoorde, er niet bij was.

Vier jaar duurde het. Vier jaar, minstens vier uur in de week, tot het eindexamen waarvoor hij glansrijk slaagde. Ze kregen les in een noodgebouw. De wandjes waren dun. Soms hoorde hij zijn broer drie klassen verderop.

Nooit hebben ze er thuis ook maar één woord over gewisseld. Alleen in stilte zei hij tegen Maarten: 'Je hebt geen tact jij, net als pa.'

Ze hadden met de familie Ruijter altijd het pleintje achter het huis gedeeld. Op dat pleintje dopten moe en tante Jo boontjes, voetbalden en knikkerden de kinderen en rookten pa en ome Lau 's avonds een sigaar. Alles deden ze samen. Als ome Lau in de zomer uit zijn werk bij de fabriek kwam, trok hij vaak snel zijn oude kleren aan om pa en ome Jo te helpen bij het hooien. Ze liepen bij elkaar in en uit.

Maar nu moest er een schutting komen. Een schutting die hun pleintje in tweeën zou delen. 'Ik wil niks meer met die dominee te maken hebben!', had pa geroepen. Met de dominee bedoelde hij hun priesterneef Jan Ruijter, die kort geleden was getrouwd.

De kranten hadden er vol van gestaan. 'Huwelijk kapelaan Ruijter van de Kritische Gemeente IJmond zal moeilijkheden geven.' Jan had kenbaar gemaakt als priester voor te blijven gaan in de mis, of de bisschop het er nu mee eens was of niet. Ze hadden eind jaren zestig tijdens het Pastoraal Concilie, de Nederlandse vergadering van bisschoppen, priesters en andere gelovigen die de kerk 'dichter bij de tijd moest brengen', toch niet voor niets hevig gedebatteerd over de afschaffing van het celibaat? De vernieuwing moest toch ergens beginnen?

Je moet niet wachten op de paus en er nooit voor bidden, je moet het doen, had Jan gezegd in een interview in *De Nieuwe Linie*. Het stond in grote letters boven het artikel. Pa was razend geweest toen hij het las. 'Mijn zuster en haar man hoef ik niet meer te zien', zei hij. 'Die steunen die jongen in zijn zonde.'

Het was 1972. Jan en Piet moesten de schutting zetten; een hoge, houten afscheiding die het pleintje bruusk doormidden sneed. Frans kon er niet aan wennen en hij was niet de enige. 'Tinus heb een Berlijnse muur in de tuin gezet!', hoorde hij tante Jo met hoge stem roepen. 'We hebben een Berlijnse muur in de tuin!'

Op de deurmat lag post van de RKPN, de Rooms-Katholieke Partij Nederland. Hij raapte de enveloppe op. De RKPN? Dat enge, orthodoxe partijtje van de Noord-Hollandse leraar Klaas Beuker, dat bij de verkiezingen in 1972 één zetel had gehaald? Was pa dáár lid van geworden?

Er was niemand thuis. Hij was nieuwsgierig en maakte de enveloppe open. Het was nog erger dan hij dacht.

De KVP heeft de katholieke beginselen laten varen. Wat de alleen nog in naam katholieke ministers in dit kabinet voor hun verantwoordelijkheid durven nemen, is ronduit huiveringwekkend. Denken we bijvoorbeeld aan minister van Justitie Van Agt, die geen vin verroert bij de 100 duizend abortussen per jaar in ons land, bij de voortgaande verzwakking van het gezag en de verslapping van maatregelen; denken we aan de Onderwijsminister Van Kemenade die het hele onderwijs, ook ons katholiek onderwijs, in de socialistische en neomarxistische hoek drijft.

Pure demagogie. Maar pa zou wel weglopen met Beuker. Eindelijk weer een katholiek die de goede, oude traditie verdedigde. Zulke stemmen waren volgens pa zeldzaam geworden. *De Volkskrant* had hij al jaren geleden opgezegd omdat 'die krant helemaal niet katholiek meer was'.

Pa zocht zijn toevlucht nu bij types als pater Kotte, die in een kerk in Utrecht de eredienst nog hield in het Latijn. Kotte was zo orthodox, dat hij niet werd erkend door de kardinaal. Maar ex-minister Luns, pa's held, steunde die gekke pater in zijn zware, zwarte habijt. Dus dan was het goed.

Laatst was pa zelfs thuisgekomen met een blaadje over Opus Dei. Hij was zich rot geschrokken. Opus Dei stond in de jaren dertig op goede voet met het fascistische regime van Franco. En ook nu nog hield de geheimzinnige katholieke organisatie er tamelijk dubieuze, reactionaire opvattingen op na. Maar pa voelde zich kennelijk aangetrokken tot het genootschap dat zich keerde tegen het Tweede Vaticaans Concilie en dat de – in zijn ogen – ware katholieke rituelen in ere hield.

'Pa is gek', zeiden Lucie en hij tegen elkaar. 'Laat hem maar lullen.' Nico was de strijd nog aangegaan. Maar wat had dat voor zin gehad? Met pa viel toch niet te praten. Hij slikte zijn irritatie liever in. En als je dat maar vaak genoeg had gedaan, wist je op het laatst niet eens meer hoe je het zwijgen nog kon verbreken. Dan wende je eraan.

's Avonds, in bed, hoorde hij moe tegen pa praten. Altijd op diezelfde gedempte, sussende toon.
   'Laat ze nou gaan...'
   (...)
   'Het is toch niet zo erg...'
   (...)

Zijn moeder kwam voor hem op. Ze liet het niet echt merken. Ze was ook vaak stil – vooral als pa zo moeilijk deed. Maar ze was solidair met haar zoon, dat wist Frans zeker.

Soms, als hij met zijn broers naar de kerkdienst van hun neef Jan Ruijter wilde in Beverwijk, stond pa op het pad om hen tegen te houden. Een grote man in de koplampen van de Fiat-bestelbus. Zwaaiend met zijn armen. 'Jullie gaan niet naar die satanskerk!'
Piet liet de motor draaien en gaf een beetje gas.
'Ik wil het niet hebben!'
Maar Piet trok gewoon op. Pa keek hen na, zag Frans in de achteruitkijkspiegel, net zo lang tot ze de bocht om waren.

Jaren later, toen zijn vader stierf, zag hij in het ziekenhuis hoe Jan pa's hand vasthield. Hij kon zich niet voorstellen dat hij zijn vader ooit zelf zo liefdevol zou aanraken.

Hij vluchtte, dat was het enige wat hij kon doen. Ontwijken, vermijden, zorgen dat ie niet te veel thuis was. Hij zou op kamers kunnen gaan, maar hij had geen zin om net zo hard te werken als Gerard om de huur te kunnen betalen. Liever ging hij stilzwijgend zijn eigen gang. 'Ja hoor pa, ik ben om zes uur vanavond naar de mis geweest', zei hij, terwijl hij ergens een biertje had gedronken.
Het was begin jaren zeventig en in de Zaanstreek waren de jaren zestig nu goed doorgedrongen. Elke week was hij zeker drie of vier avonden te vinden in jongerencentrum Drieluik in Zaandam, waar hij als vrijwilliger in het bestuur zat. 'Een jeugdhonk van de hervormde

kerk', had hij tegen pa en moe gezegd, dat klonk wel goed.

In Drieluik kwam een alternatief publiek, dat altijd in was voor de vertoning van een film als *Inside North Vietnam* van Joris Ivens, een thema-avond van de NVSH met gratis condooms, een 'Frank Zappa Night', een ludieke protestactie tegen het kolonelsregime in Griekenland of een stevig debat over de anti-psychiatrie. Frans was fanatiek in het organiseren van manifestaties. Als jongste student was hij meer naar links opgeschoven dan zijn andere broers. Maarten had zich aangesloten bij de brave PPR; Nico en Gerard zetten zich in voor Amnesty International. Maar hij koos voor de PSP en voor het marxisme als 'analytisch model voor verandering'.

Hij las alles uit de 'Kritiese Bibliotheek Van Gennep' en spelde, bijvoorbeeld, Pierre Jalée's *Kapitalisme, socialisme en de derde wereld – een linkse analyse van de wereldeconomie*, een boek dat, ondanks de soms duistere bewoordingen, al snel geen geheimen meer voor hem bevatte en door hem werd voorzien van tal van onderstrepingen en uitroeptekens:

Wij vertrouwen erop dat de overweging van deze feiten tot de stellingname zal leiden dat tegenover het imperialistische wereldsysteem een anti-imperialistisch wereldfront moet worden opgericht, gedreven door marxistisch-leninistische theorie.

Het was later soms moeilijk uit te leggen, maar de 'Inleiding Marxisme' die hij in die tijd organiseerde, onder de bezielende leiding van een gevluchte Hongaarse docent, was voor hem echt iets om nooit meer te vergeten.

Niet omdat hij nadien teleurgesteld raakte, verbitterd zou uitroepen dat het niks geworden was met die mooie idealen van hen. Hij had nooit blind geloofd in één droom. En hij was achteraf best tevreden over wat er in die jaren bereikt zou worden: de Amerikanen vertrokken tenslotte uit Vietnam, de jongeren kregen de woningen die zij hadden geëist, de vrouw werd baas in eigen buik, en als je niet oppaste raakte het hele land vergeven van de milieuvriendelijke energie-windmolens.

Nee, de weemoed waarmee hij soms kon terugdenken aan de 'Inleiding Marxisme' was niet het gevolg van deceptie, maar kwam voort uit het verlangen naar het onvoorwaardelijke geloof dat hij toen nog had, het gevoel dat alles ten goede kon veranderen en dat het er dus toe dééd wat je dacht en zei.

Het nog complete gebrek aan cynisme waarmee ze bijvoorbeeld de Nederlandse berichtgeving over de Anjerrevolutie in Portugal analyseerden. Ze vergeleken het nieuws in *de Volkskrant* en *De Telegraaf* en voerden verhitte discussies over de betekenis daarvan in marxistisch perspectief – het Communistisch Manifest konden ze dromen.

Natuurlijk was zijn meisje niet katholiek. Het kon hem niet schelen wat pa ervan dacht. Hij ging samenwonen in 1973 en trouwde niet veel later. Er was geen kerkdienst, wel een leuk feest. Zijn bruid droeg een fleurige jurk, had d'r haar los en was al tijden aan de pil.

Op al hun huwelijksfoto's lachte pa niet. Maar moe keek vriendelijk, als altijd.

❖

'Het wordt wel zorgelijk met jullie moeder', zei zuster Bernarda, de non die moe vaak verzorgde. 'De huid op haar heup is erg rood. En op haar stuitje heeft ze een lelijke doorligplek die maar niet wil genezen.'

Het rumoer verstomde even. Het was nieuwsjaardag 1997, borreltijd. Hij was, zoals vaker, even bij moe gaan kijken. Maarten was er, Piet, Guus, Nico, Lucie, en tante Annie, een zus van moe. Ze hadden druk zitten praten, waren net aan hun tweede biertje toe.

'De fysiotherapeut is gestopt met de behandeling', ging zuster Bernarda verder. 'Wisten jullie dat wel? Hij vond het een marteling worden voor jullie moeder. Alle bewegingen doen haar pijn.'

'Ja, het wordt echt moeilijk nu', zei Lucie. 'We moeten ons gauw beraden.'

Nico ging nog wat pilsjes halen.

'Piet, hoeveel kerstbomen heb jij dit jaar verkocht', begon Guus. 'Bij ons waren de bomen niet aan te slepen. Zelfs die dure blauwsparren raakten op.' Al snel sprak iedereen weer door elkaar heen.

Moe zat ineengedoken op haar stoel. De knieën opgetrokken, het hoofd naar beneden – als een baby in de baarmoeder. Haar handen hield ze zo krampachtig naar binnen geklemd, dat de verpleegsters er soms een washandje tussen moesten stoppen, om te voorkomen dat ze zich met haar nagels zou verwonden.

Ze had haar feestpak aan. Een roze satijnen blouse, een blauw geruit jasje. De kleren slobberden om haar uitgeteerde, gekrompen lijf. Ze sliep, zoals meestal de laatste tijd. Het was alweer lang geleden dat ze had geknikt of geglimlacht. Ook als de visite, zoals nu, druk met elkaar praatte, gaf moe geen reactie. Ze volgde hen niet met haar ogen, ze keek niemand aan. Moe was er nog. Maar toch ook al niet meer.

Had ze nog gedachten? Waren er nog woorden, zinnen? Of was het mistig in haar hoofd, donker, doemden er alleen nog vage, betekenisloze beelden op. Hoorde ze geluiden die ze niet kon thuisbrengen, voelde ze handen op haar arm van mensen die ze niet herkende.

Het werd zorgelijk, volgens zuster Bernarda. Moe had misschien pijn, las hij in het logboek.

De stuitwond is nog niet droog. Vanmorgen zat de luier weer vastgeplakt aan de wond, dus daarna bloedt ie weer en zo schieten we dus niets op. Ik heb tien minuten geföhnd, schoongedept met calendula-emulsie en dan maar weer afwachten. (Maaike, 6 december 1996)

Moesten ze iets doen? 'Het wordt tijd om ons beraden', zei Lucie net.

Eerlijk gezegd zag hij soms niet goed dat moe steeds meer achteruit ging. Hij woonde op de buurt, in het huis waar hij was opgegroeid en waarvan hij zich niet meer kon voorstellen dat ze er ooit met z'n vijftienen hadden geleefd omdat hij het nu soms met twee kinderen al klein en gehorig vond. Vaak ging hij met zijn oudste zoon even bij oma kijken. Hij zag haar zo regelmatig, dat hij verslechteringen niet goed opmerkte.

Tot een verpleegster hem soms weer de ogen opende:

Na zeven jaar moeder voor het eerst weer verzorgd. Wat een lange lijdensweg voor haar en ook voor jullie om het aan te zien. Ik vond het best moeilijk om haar goed te wassen met al die vergroeiingen.

In de eerste jaren had hij het waardevol gevonden om voor moe te zorgen. Het was goed om nog zo dicht bij haar te zijn. Hij kon haar de liefde en de aandacht geven die hij vroeger zelf had moeten missen.

Met z'n tweetjes gegeten. Moe bad voor en dat ging fout-
loos. Alleen ik brabbelde maar wat. Ik zei tegen moe:
'Dat komt er vlot uit.' Waarop moe zei: (misschien een
beetje verwijtend naar mij): 'Dat vergeet je toch nooit!'
Verder verliep de avond rustig. Ik heb oude foto's met
haar gekeken. Moe wist zich alles nog te herinneren. On-
dertussen sprak Maartje van Weegen in NOS-*laat over*
de Litouwers, waar het niet goed mee gaat. Moe zei: 'Wat
is er met Lee Towers? Is ie ziek?' (Frans, 5 april 1990)

Maar nu was moe alleen nog een oud, broos lichaam.
Een stille herinnering aan wie ze ooit was geweest.

'Volgens mij gaat moeder niet dood omdat ze jullie
niet alleen wil laten', had een verpleegster kort geleden
tegen hem gezegd. 'Ze is vast bang dat dan het hele zootje uit elkaar valt.' Het was een mooie gedachte. Hun
moeder die als een mysterieuze, zwijgende matrone op
haar stoel bleef zitten en zo al haar kinderen bij zich
hield. Maar het klonk ook wel erg romantisch.

Nu moe niet meer sprak, kon iedereen over haar fantaseren wat ie wilde. Hoeveel verschillende verhalen
deden al niet de ronde over de reden van haar zwijgzaamheid. Moe zou boos zijn, dement, teleurgesteld of bang
dat ze wat verkeerds zou zeggen. Terwijl het toch zo simpel was. Moe kón gewoon niet meer praten. De hersenbloeding had haar spraakgedeelte uitgeschakeld. In het
begin nog niet helemaal, zodat ze nog weleens wat zei,
maar nadat er nog één of twee keer een attaque overheen
was gekomen, verstomde ze voorgoed. Dat kon je toch
zo nalezen in het logboek?

Toen Jo beneden kwam hoorde ik dat mevrouw de vori-
ge dag waarschijnlijk een bloedinkje had gehad. Haar
rechterhand was slap en haar been ook...

Zo schreef de verpleegster op 29 december 1990. En niet veel later noteerde hij zelf:

Moe is veel slechter dan een paar weken geleden. Ze zegt nu dus inderdaad helemaal niets meer. (Frans, 26 februari 1991)

Voor hem was het een duidelijk verhaal. Hij begreep niet waarom zijn broers en zussen zoveel achter het zwijgen van moe zochten.

In de kamer werd nu druk gepraat over de tweede huizen van Guus en Martien in Zuid-Frankrijk. Maarten wilde van Guus weten wat het nu kostte, om zo'n huis zelf te bouwen. Guus vertelde over het prachtige uitzicht dat hij had vanuit zijn kamer.

Moe had zich niet verroerd sinds hij binnen was. Zuster Bernarda stond op om een kussentje in haar rug te verschuiven. 'Ik hoop dat de wijkverpleegster vroeg komt', zei ze tegen Nico, die later zou oppassen. 'Dan kan jullie moeder lekker op tijd naar bed.'

'Leg je wel een extra deken over haar knieën', zei Piet. 'Ze heeft het zo snel koud.'

Ze bedoelden het allemaal goed. Maar ze deden niks. Ze wachtten af. Niemand wist wat er moest gebeuren – ook hij niet.

11 Lucie [1951]

'U weet waarvoor ik kom', zei ze tegen de dokter. Hij keek haar aan, vanachter zijn bureau, en probeerde zich kennelijk te herinneren waar ze het over had.

'Het gaat om mijn moeder. Ze is er erg slecht aan toe. We hebben uw hulp nodig.'

Nu begon het hem te dagen, zag ze. Acht jaar eerder was ze een keer op zijn spreekuur geweest om te praten over euthanasie. Dat was vlak nadat moe, dankzij haar bemoeienis, thuis was gekomen. Iedereen dacht toen nog dat ze niet lang meer te leven had. 'We willen niet dat onze moeder lijdt', had ze tegen de dokter gezegd. 'Ik hoop dat we, als het zo ver is, kunnen rekenen op uw medewerking.'

De dokter begreep nu wat ze van hem wilde. 'Sorry', zei hij. 'Ik kan niets voor je doen.'

Ze zweeg.

'Ik heb wel het adres van de euthanasievereniging voor je.'

'Nee, dank u. Daar hebben we niks aan.'

Lucie had lang getwijfeld voordat ze naar de dokter ging. Want wat was het goede moment? Het moment om te zeggen: we gaan tot hier en niet verder? In de afgelopen acht jaar had ze al zo vaak gedacht dat moe het niet lang meer zou maken. Maar telkens krabbelde haar moeder er op wonderbaarlijke wijze weer bovenop. Zelfs een ongelukkige val uit het bed overleefde ze.

Pas nu, in januari 1997, begon ze voor het eerst weer serieus na te denken over een manier om moe's dood te bespoedigen. Ze had gesproken met zuster Bernarda, en met Piet, Toos, Guus, Martien en Frans. Die zeiden ook allemaal dat het beter voor hun moeder zou zijn als het zou aflopen. Moe had sinds een paar weken een doorligplek op haar stuit die niet wilde genezen. Wanneer ze omgedraaid werd in bed, zag je haar gezicht vertrekken. Ze moest pijn hebben. En ze kon toch niet veel brozer worden dan ze nu was.

Toch deed niemand wat. Ze kwamen allemaal maar één keer in de twaalf dagen oppassen. Het was gemakkelijk om te denken: ik weet ook niet hoe het verder moet, laat een ander het maar oplossen. En erg doortastend waren de meesten niet. Ze aarzelden, durfden niks te zeggen.

Kennelijk moest zij het initiatief nemen. Ze had zich eerst tegen die gedachte verzet. Waarom juist zij? Het jongste zusje? Haar broers waren altijd zo mans! En nu lieten ze de allermoeilijkste beslissing aan haar over.

Maar als ze eerlijk was, wist ze wel waarom. Ze had altijd al die rol van bemiddelaarster gehad. Misschien omdat ze het, als enige in de familie, met iederéén goed kon vinden. Je had bij hen de vrouwen, de professoren en de werkers. En zij was toevallig alle drie. Wanneer Nico of Maarten een ingewikkeld, abstract betoog begon, kon ze hen heel goed volgen. Maar ze vond het ook heerlijk om slap te ouwehoeren met Piet, Guus en Martien, die meer humor hadden en net als zij hielden van een glas wijn.

'Moet ík dan maar met de dokter gaan praten?', had ze uiteindelijk aan Piet gevraagd, de broer met wie ze het altijd het beste kon vinden.

'Ik denk dat jij de enige bent van wie we het allemaal zouden pikken', zei Piet. 'En jíj durft tenminste je mond open te doen.'

De avond voordat Lucie naar de huisarts ging, had ze al haar broers en zussen gebeld. Ze had er lang en goed over nagedacht en wist precies tegen wie ze wat moest zeggen.

'Toos, ik heb morgen een afspraak met de dokter. Het kan toch zo niet langer met moe doorgaan.' Verder hoefde ze Toos niets uit te leggen. Ze hadden het er vaak genoeg over gehad.

Ook met Frans, Guus en Martien was ze zo klaar. Guus en Martien zag ze vaak, nu ze sinds een paar jaar de administratie deed op het tuincentrum in de Beemster. Ze wist hoe zij erover dachten. 'Luus, mijn zegen heb je!', riep Martien. 'Het is toch een doffe ellende zo, een zielige toestand.'

Bij Nico en Gerard bracht ze de boodschap iets voorzichtiger. Die vonden het moeilijk om iets te doen wat tegen het geloof van moe inging. 'We moeten de pijn gaan bestrijden', zei ze. 'Moe heeft zo'n rottige doorligplek op haar stuit.' Daar konden ze niet op tegen zijn. Hun moeder mocht geen pijn lijden. 'Het lijkt me goed dat je eens informeert, nu de situatie zo zorgelijk wordt', zei Nico omzichtig.

Marian had niet veel gezegd, zoals altijd. 'O, goh, nou ja', zei ze aarzelend en ook een beetje onwillig. Ze wist niet goed wat Marian dacht. Misschien was die het er niet mee eens. Ze was allicht bang haar leuke baantje kwijt te raken. De kans bestond dat ze meteen Jo ging bellen, van wie iedereen wist dat ze tegen actief ingrijpen was.

Daarom had ze op Jo gerepeteerd. 'Jo, het gaat zó slecht met moe, zelfs zuster Bernarda vindt het onmenselijk worden.'

'O ja?', zei Jo.

Dat maakte indruk. Zuster Bernarda was een non. Ze had moe al die tijd een paar dagen per week liefdevol verzorgd.

'Zei zuster Bernarda dat echt?'

'Ja, ze zei laatst: hoe lang moet dat mensie nou nog lijden.'

'Och', zei Jo, 'zei ze líjden?' Ze hoorde Jo denken: als zo'n religieuze vrouw ook al vindt dat er iets moet gebeuren, wie ben ik dan om daar tegenin te gaan?

'We moeten iets doen tegen de pijn.'

'Nou, ga dan maar met de dokter praten', zei Jo.

Het meest had ze opgezien tegen het telefoontje met Maarten. In de jaren dat ze nu de verzorging voor moe regelde, had ze herhaaldelijk woorden met hem gehad. Vaak als ze nét dacht dat ze het rooster van de verpleegsters rond had, begon Maarten over nieuwe bezuinigingen. Moest dat uurtje pauze van de verzorgsters wel doorbetaald worden, konden ze zelf niet wat vroeger beginnen. Ze had soms in tranen aan de telefoon gezeten.

De meeste broers en zussen hadden er respect voor hoe ze het allemaal organiseerde. Ze werd eindelijk serieus genomen als jongste zusje. In het begin hadden er een paar nog vreemd opgekeken toen ze moe, tegen het advies van de arts in, uit het ziekenhuis haalde. Hoe wist zij, het kleintje, nou wat het beste was. Maar inmiddels had ze vertrouwen gewonnen. 'Lucie heeft sociale academie gedaan', zeiden haar broers. 'Die kan goed praten.'

Alleen Maarten bleef soms de baas spelen. 'Ik beheer het geld van moe in pa's geest', zei hij eens. 'Dat is niet best, Maarten', had ze geantwoord.

Ze was bang dat Maarten meteen allerlei bezwaren zou opperen. Maar hij was niet thuis. Ze sprak alleen even met zijn vrouw.

'Ze staan allemaal achter me', zei ze opgelucht tegen haar man aan het einde van de avond. Het woord euthanasie, bedacht ze, had ze niet eens hoeven gebruiken.

Al snel begreep ze dat ze het verkeerd had aangepakt. Natuurlijk zei de dokter dat hij niet kon helpen. Hij had geen idee hoe slecht moe eraan toe was. Als hij bij haar langskwam, voor een hoestdrankje of een penicilline-kuurtje, zat ze altijd keurig in haar zondagse jurk op haar stoel.

Ze belde Maaike, de verpleegster die moe al jaren verzorgde. 'Als de dokter deze week komt', zei ze, 'moet je moe in bed laten liggen. Helemaal naakt. Zelfs haar onderbroek trek je uit.'

Daarna belde ze de dokter.

'Mijn moeder heeft erge pijn', zei ze.

De dokter kwam langs en schrok toch wel van moe (ze lag in bed),

schreef Maaike op 6 februari 1997 in het logboek,

'Nou, wat moet dat meissie toch lijden', zei hij. Hij denkt ook dat ze veel pijn moet hebben van de stuit.

De dokter schreef paracetamol voor. 'Zoveel zetpillen als nodig is.'

Maar daar was haar moeder niet echt mee geholpen. Ze had een beslissing genomen. Vrijwel iedereen stond achter haar. Nu moest ze doorzetten.

Op een avond ging ze op bezoek bij een bevriende huisarts. Ze vertelde hoe slecht het met haar moeder ging. 'We willen dat moe op een waardige, pijnloze manier kan sterven', zei ze.

'Je moet tegen de dokter blijven zeggen dat ze pijn heeft', zei de vriend. 'Hij zal dan een verhoging van de dosis paracetamol voorschrijven. Als dat niet meer helpt tegen de pijn, zal hij overgaan op morfine. En moet de dokter vervolgens ook die dosis verhogen, dan gaat je moeder een zachte dood tegemoet, dat verzeker ik je.'

Even twijfelde ze. Misschien zou ze haar broers en zussen nog een keer moeten bellen om hun te vertellen hoe ze het nu verder wilde aanpakken. Maar ze besloot dat niet te doen. Het zou verdeeldheid kunnen zaaien. En als ze benieuwd waren hoe het was afgelopen bij de dokter, konden ze toch zelf ook bellen? Het was goed zo. Dat wist ze zeker. Ze moest het doen, voor haar moeder.

❖

Het mooie, kleine, slimme zusje. Zwart haar, donkere ogen, voor niemand bang. 'Het oogappeltje van iedereen', zei Guus.

Ze herinnerde zich: Toos achter de naaimachine, op het pleintje achter het huis. Zomer, de geur van gras na de regen. Zij zelf klein, rennend, spelend. 'Niet te ver weg gaan, je moet zo passen!'

Ze zwierf over het erf, keek bij haar broers die bij de prutsloot stonden te vissen, of laarsie trap speelden op het pleintje. Ze deden soms ruw en raar, maar ze pestten haar niet. Zij mocht overal bij zijn, het kleintje.

Dan klonk de stem van Toos: 'Luus, passen!' Ze rende

naar haar grote zus, voelde de nieuwe, bruine wollen winterjas over haar schouders glijden. Toos keurde, kritisch. Het was niet gauw goed genoeg. 'Oké, nog éven dit naadje...' En ze rende alweer.

Jan had verteld dat hij vroeger onderbroeken aan moest die moe maakte van kunstmestzakken. Ze kon het zich niet voorstellen, want op zondagavond aten ze soms biefstuk en de havermout met vellen was verruild voor kant-en-klare yoghurt van de melkboer. In de keuken stond een koelkast, met Sinterklaas kreeg ze rolschaatsen, een autoped of een poppenwagen en Toos maakte voor haar de allermooiste jurken.

Zij was ook de eerste die zwemles kreeg, in het nieuwe natuurbad Het Zwet. Haar broer Piet lag als een logge vis in het water. Maar zij haalde haar A en B. En na schooltijd ging ze naar gym, gitaarles, of naar een vriendinnetje.

Moe was 43 toen zij geboren werd, pa 42. Ze gingen net een beetje genieten van de welvaart en waren toe aan hun rust. Maar daar dacht God anders over, want die bleef kinderen geven.

Pa bemoeide zich zelden met haar. Als hij 's avonds thuiskwam, met rode konen van de kou en prut onder zijn nagels, was hij moe. Hij las zijn krant, stopte postzegels in albums of zakjes.

De ouderen hadden van pa vaak klusjes gekregen. Ze moesten hout halen, bosjes bloemen venten, de groentetuin wieden, helpen met hooien. Maar voor de kleintjes was er niet veel meer te doen.

Daarom was ze die ene keer ook zo vereerd. Ze was een jaar of elf en pa en moe gingen, misschien wel voor het eerst, op vakantie. Ome Lau, de buurman die bij Cacao de Zaan werkte, huurde weleens een huisje aan zee met zijn gezin. Maar pa en moe hadden het hoveniersbedrijf, de winkel en de kleintjes en konden nooit weg. Alleen moe vertrok één keer per jaar op de brommer naar Heiloo, om bij haar zussen te logeren en na een paar dagen terug te keren met tassen vol zelfgemaakte blouses, broeken en truien.

Maar nu gingen ze echt op vakantie, met een oom en een tante, helemaal naar Limburg. 'Luus, zou jij de feuilleton voor me uit de krant willen knippen', vroeg haar vader.

Pa droeg haar iets op, pa had haar nodig. Ze miste geen enkele aflevering, knipte netjes langs de randjes en legde de kranten op een stapeltje op tafel.

'Niet aankomen', zei ze tegen Guus.

'Wat moet je met die oude kranten dan?', vroeg hij.

'Dat gaat je niks aan. Het is iets tussen pa en mij.'

'Welja kind, ga jij lekker naar het St. Michaël College', had moe gezegd. 'Ik heb hier in huis toch hulp genoeg.' Op de lagere school zat ze in een bank vooraan, waar ze met rode of groene inkt mocht schrijven omdat ze goede cijfers had. Er gingen nog acht meiden van haar klas naar de HBS of het gymnasium. Niemand keek er meer van op als een meisje studeerde – zelfs pa had er niks over gezegd.

Maar ze was wel het eerste meisje, het eerste meisje van Koelemeijer dat professor werd. Al was haar school een andere dan die van Nico en Gerard, want zij ging met haar klas op werkweek, op fietstrektocht, of een weekje naar Parijs. En pa betaalde het allemaal, zonder morren.

Een tiener was ze, een meisje dat de hele top-40 kon meezingen, eindeloos platen draaide op een simpel pick-upje

op zolder en niet langer 'te dansen', maar gewoon uitging, als het beviel tot het ochtendgloren.

Het gebeurde op een zondagavond, in 1973. Ze zat, zoals
zo vaak, te lezen in de leunstoel in de voorkamer. Het
was stil in huis. Nico en Frans zaten te werken in de
vroegere bloemenwinkel, die na de opening van het tuincentrum van Jan en Piet was ingericht als studeerkamer. In de achterkamer was pa met zijn postzegels
bezig. Moe breide. Gerard, die had meegegeten en later
op de avond naar Amsterdam zou vertrekken, las de
krant. Guus bladerde in een stripboek.
    Er hing geen prettige stilte. 's Ochtends waren Frans,
Nico, Gerard en zij naar Beverwijk gegaan, naar de kerk
waar hun getrouwde priesterneef Jan Ruijter elke zondagochtend een beatmis hield. 'Hoe krijgen jullie het
in je hoofd!', had pa hun achternageroepen toen ze in de
oude, gammele bestelbus stapten. 'Jullie hebben niks
te zoeken bij die dominee!'
    De kerk was zo vol geweest dat ze hadden moeten
staan. Swingen deden ze nog net niet, maar meeslepend
was de beatmis wel. Ze kreeg kippenvel toen haar neef
Jan uit volle borst een prachtig lied van Huub Oosterhuis
voorzong, onder begeleiding van stevige drums en een
snerpende gitaar.
    Pa had de hele dag geen woord tegen hen gezegd. Om
zes uur hadden ze in vijf minuten de aardappelen naar
binnen gewerkt, daarna was iedereen weer snel in zijn
boek of krant gedoken.
    Het was vaak stil in huis, nu Jo, Toos, Maarten, Piet
en Jan getrouwd waren en Gerard en Marian op kamers
woonden. Juist de oudsten hadden vroeger vaak het
hoogste woord gevoerd. Maar tegenwoordig hoorde je
soms een hele avond niet veel meer dan het geritsel

van papier. Zelfs Nico, die jarenlang vaak ruzie had met pa, hield nu zijn mond. Hij verbleef meestal in zijn eigen kamer in de garage op het tuincentrum van Jan en Piet.

Jo woonde nog in het dorp. Ze was weinig veranderd. In plaats van hen, had ze nu haar eigen gezin. Lucie ging soms met moe koffie bij haar drinken. Ze wandelden er samen heen. Armpje door, bijna intiem. Hoewel ze het verder nergens echt over hadden.

Moe vroeg haar zelden iets. Ze was een keer een hele nacht weggebleven. Een mooie jongen op een mooie Puch had haar thuisgebracht. Pas tegen half zeven 's ochtends glipte ze naar binnen. Het had geen zin meer om naar bed te gaan. Ze was aan tafel gaan zitten, met een boek. 'Goh, wat ben jij vroeg', had moe gezegd toen ze beneden kwam. Ze zou niet snel zeggen: 'Goh, wat zie jij bleek, is alles wel goed met je?'

Toos miste ze wel. Wat had ze in bed liggen janken, in de nacht na Toos' huwelijk. Dertien was ze. Haar zus was geschaakt. Haar lievelingszus, die altijd mooie kleren voor haar maakte. Ze was door een man weggevoerd naar Oudorp, een ver en vreemd dorp waar Lucie nog nooit was geweest. Piet vond het ook verschrikkelijk, had ze gezien. Toen ze aan het einde van de bruiloft het paar uitwuifden, in de Zaanbocht, liepen de tranen over zijn wangen. 'Die trut', had hij gemompeld, 'wat moet ze met dat kereltje...'

Ook zonder Jan, Piet en Martien was het een stuk minder leuk geworden thuis. Haar werkende broers brachten met hun muziek, stoere verhalen, Beatles-jasjes en vriendinnen met hoog opgetast haar de wereld binnen. Ze miste hun bulderende lach, hun grote handen, de geur van zweet, aarde en sigaretten. En de stem van Piet: 'Lúús, Lúús, een gulden als je op m'n rug krabt.' Dan zette ze haar nagels in zijn rug, hier, ja daar, nee wat lager, nu naar rechts, ja lekker, en stopte Piet een gulden in haar zak, een beetje brommerig – zoals een vader dat zou kunnen doen.

Nu waren ze nog maar met z'n vieren. Guus, Frans, Nico en zijzelf. Met de serieuze Nico deelde ze weinig. Guus was er zelden, die woonde tegenwoordig zo'n beetje bij een boer op het dorp. Tot grote ergernis van pa, die vond dat hij zich beter thuis nuttig kon maken dan op het erf van een ander. Maar met Frans en haar neef Nico Ruijter trok ze veel op. Ze gingen samen naar Drieluik, waar bandjes speelden als The Sandy Coast, The Golden Earrings, Cuby and the Blizzards en The Outsiders. Niet dat ze zo'n bijzondere band had met haar broer en neef. Maar het was wel makkelijk, een paar van die chaperons op de achtergrond bij wie ze altijd kon aanschuiven als ze wilde, maar die haar tegelijkertijd vrij lieten als ze sjans had.

Nico kwam binnen en zette de televisie aan. Gerard en Frans schoven een stoel bij. Pa bleef achter aan tafel zitten. Hij las een blaadje van de kerk. Van de góede kerk, zei hij er altijd bij, want naar de Maria Magdalenakeik in Wormer ging hij niet meer, nu de mis daar in het Nederlands werd gehouden. Elke zondag reisde hij met moe helemaal naar de kop van Noord-Holland, waar in een gehucht een priester preekte die nog wel de juiste leer in het Latijn verkondigde.

Op televisie was een programma over de Dolle Mina's; de groep feministes die veel aandacht trok in Amsterdam. Ze zag beelden van demonstraties, zingende en roepende vrouwen in spijkerbroek. De vrouwen droegen borden met teksten als 'Blijf gvd van ons af', of: 'Vrouw beslis'. Op een groot spandoek stond geschreven: 'Abortus is geen moordzaak maar noodzaak!!!'

Zo was het. Ze had zelf gelukkig nooit voor de keuze gestaan. Veel verder dan zoenen en friemelen ging ze meestal niet met haar vriendjes. Ze had maar twee keer echt in de zenuwen gezeten. Als het toen fout was afgelopen, was ze misschien ook wel naar zo'n kliniek gegaan. Ze zou in elk geval niet trouwen omdat het moest, zoals Piet en Marian hadden gedaan.

Misschien moest ze aan de pil, die was nu makkelijk te krijgen. Maar ze aarzelde. Ze was voorzichtig, ze gaf zich niet zomaar weg. Seksuele revolutie of niet. Zo'n jongen moest wel van goeden huize komen. Misschien wachtte ze net als haar oudste zussen op de ware. Niet om mee te trouwen, maar om voor aan de pil te gaan.

Pa had zijn kerkblaadje opzij gelegd. Hij keek ook naar de tv. Een vrouw trok haar t-shirt omhoog voor de camera. 'Baas in eigen buik!', stond op haar lijf geschreven. De vrouw lachte, gooide haar lange haar wulps naar achteren. Gerard grinnikte. 'Fantástisch dit', zei hij.

Pa liep de kamer uit. 'Even buiten een rondje lopen', mompelde hij.

Ze verdiepte zich weer in haar boek, de televisie hoorde ze al snel niet meer. De laatste tijd las ze veel van Sartre en Simone de Beauvoir. *Niemand is onsterfelijk*, van De Beauvoir, had ze bijna uit.

Misschien was het omdat ze pa niet had horen binnenkomen, dat ze zo schrok van zijn stem. 'Frans, zet jij die plaat van pater Werenfried van Straaten eens op.'

Nico keek verstoord op. Guus begon omstandig in het haardvuur te porren.

'Kom op Frans, je weet waar ie staat.' Pa wist niet hoe de pick-up werkte. Die zette natuurlijk nooit voor z'n lol een plaatje op.

Ze kende de plaat. Het was een toespraak van pa's favoriete 'spekpater', die de Katholieke Kerk in Oost-

Europa zei te redden. Sinds kort was hij ook een kruis-
tocht begonnen tegen abortus.

Het *Ave Verum* schalde door de kamer. Niemand zei
wat. Pa keek strak voor zich uit. 'Beminde gelovigen!',
begon pater Van Straaten. Zijn stem was hard, schel,
ondanks zijn zuidelijke tongval. Hij sprak over Herodes
en de kindermoord, vergeleek de bijbelse koning met
ouders die ook 'het pad van de sluipmoordenaar op
waren gegaan'. Hij verhief zijn stem:

*...In onze dagen is er geen Herodes meer nodig om de
moordenaar van onze kinderen te zijn. Thans is er een
geneesheer gevonden die deze slachting voor een hand-
vol zilverlingen doorvoert. Op elf of twaalf plaatsen in
ons land staan moordklinieken, getekend met het schul-
deloze bloed der kleinen, aan wie het warme leven
ontzegd wordt omdat hun ouders zich bedreigd voelen
op de eenzame troon van hun eigenliefde...*

Ze wilde het niet horen, kreeg het warm. Waar kon ze
naar toe. Maar de preek ging door:

*...De uiteengerukte ledematen der ongeborenen wor-
den haastig verbrand, omdat het morgen weer feest
moet zijn. Maar het bloed dezer kleinen schreit ten
hemel, en hun klacht wordt luid vernomen voor het
aanschijn van de rechtvaardige God...*

Nu dempte de pater zijn stem. Wat hij straks ging vertellen, zei hij, was af-schu-we-lijk. De beste luisteraars
moesten hun kinderen misschien even de kamer uit
sturen. Maar hij moest vertellen hoe dat ging, abortus.
Hij moest de dwalenden tot inkeer brengen. De pater
schreeuwde bijna toen hij zei:

...Bij kinderen boven vier maanden wordt het vrucht-
water weggezogen en in plaats daarvan een geconcen-
treerde zoutoplossing ingespoten, het kind slikt dit gif
binnen en sterft eraan, de doodsstrijd duurt een uur...

Guus keek nog steeds in de open haard. Gerard deed alsof hij de krant las. Pa ging helemaal op in de stem van
de pater. Zo nu en dan knikte hij instemmend.

Lucie liep de kamer uit, naar de gang. Maar ook daar
hoorde ze de stem van de pater. Ze moest huilen en ging
op de trap zitten. Moe, die in de keuken bezig was, kwam
naar haar toe. 'Trek het je toch niet aan. Je vader bedoelt
het niet slecht.'

Eindelijk verstomde de stem van de pater. Een koor
zong *Sterre der Zee*. Daarna werd het stil. Er klonk ge-
kuch, geritsel van een krant. Nog steeds zei niemand
wat.

Moe stapte de kamer binnen. 'Wil er iemand een lekker gekookt eitje?'

Er was geen reden om bitter te zijn. Ze had zussen die
over haar moederden, grote, stoere broers die zo'n beetje vaderden en ze was niets te kort gekomen. Misschien
hadden de anderen last gehad van de stilte, de afstand.
Nico, Marian, of Guus. Zij niet. Ze ging haar eigen gang.
Cool, eigengereid, nuchter en een beetje ongenaakbaar
misschien ook, want ze had datzelfde talent als haar
moeder om verdrietigheden van zich af te schudden en
steeds naar het goede te zoeken.

'Lucie Koelemeijer is niet te versieren', zeiden de jongens op school. Dat was helemaal niet zo. Ze had aan de
lopende band verkering. Alleen hielden die relaties vaak
niet langer stand dan een paar weken, hoogstens een

maand of drie. Het lag niet aan haar. Het lag aan die jongens. Die wilden op gezette tijden koffie met je drinken en hadden ook verder meestal weinig lef, humor of fantasie.

Op Texel, tijdens die lange zomer van 1970, toen ze in popboerderij Sarasani snoep verkocht, maakte een verliefde jongen een fotoserie van haar.

Het was een bewolkte dag, ze waren tegen de avond naar het strand gefietst. De verliefde jongen had het er al dágen over gehad. 'Jij bent vast hartstikke fotogeniek, het wordt prachtig.' Hij was wel een beetje teleurgesteld dat ze geen bikini onder haar kleren aan had. Ze droeg een spijkerbroek, windjack en slobbertrui en vond dat mooi genoeg.

De foto's plakte ze later in een album. Op één ervan zat ze op een strandpaal. Lang, los haar, volle lippen, zwartomrande ogen. Ze staarde over zee. De jongen had geen schijn van kans, dat zag je zo. Haar ogen zochten iets dat veel mooier, veel groter was.

Op een dag belde een musicus, Rob. 'Je hebt je spijkerjack bij mij in de auto laten liggen', zei hij.

Dat was een rotsmoes. Ze kende hem alleen via zijn manager, haar neef Lau Ruijter, ze had nog nooit bij hem in de auto gezeten. Maar hij had wel lef.

'Niet dat ik weet.'

'Echt waar. We kunnen wel wat afspreken, dan geef ik het je terug.'

Als Rob speelde, hoorde je dat het anders was. Niemand kon de piano zo laten swingen en janken als hij. Ze ging graag met hem uit. Ook al was hij getrouwd, en dacht ze geen schijn van kans te hebben.

Het was in de tijd dat ze op de sociale academie zat, waar ze naar toe was gegaan omdat ze 'iets met mensen wilde doen'. Ze was op kamers gaan wonen in Amsterdam, ging tijdens sensitivity-trainingen 'de confrontatie met zichzelf aan' en leerde in ingewikkelde en langdurige groepsprocessen ontwarren waar 'zij stond ten opzichte van de ander'.

Ze vond het vreselijk, al dat geouwehoer. Maar ze leerde wel praten.

Een avond in jongerencentrum Drieluik, begin jaren zeventig. Ze had de hele avond vergaderd over de democratisering van de beleidsraad, waar ze samen met Frans in zat. 'We willen geen bevoogding van bovenaf meer', had ze geroepen. Het jongerencentrum was altijd verbonden geweest aan de Hervormde Kerk en werd nog op een suffe, autoritaire manier bestuurd.

Nu stond ze in de bar, die ze onlangs geschilderd hadden. Het plafond was blauw met gouden sterren. De muren waren wit. Het licht was opvallend fel. Ze hadden geen posters opgehangen, of enige andere decoratie.

'De inrichting moet confronterend zijn', had Frans gezegd op een vergadering en daar was iedereen het mee eens geweest. Je moest jezelf zijn, onafhankelijk van je omgeving. Ze hadden ook nergens spiegels opgehangen, zelfs niet in de toiletten.

Er speelde een bandje. De Bintangs, prachtig. Hoeveel avonden had ze hier al niet gestaan, rokend, drinkend. Eerst een discussie over jongerenhuisvesting, of de vertoning van een geëngageerde film die ze samen met Frans had opgehaald uit de Movies in Amsterdam. En dan dansen.

Ze moest denken aan Rob, die nu gescheiden was. Kort geleden had ze hem voor het eerst meegenomen naar pa en moe. 'Wat moet je toch met een man die al getrouwd is geweest', had moe aanvankelijk tegen haar gefluisterd in de schuur. 'Je bent zo'n mooie meid, je kunt toch wel wat beters krijgen.'

Maar verder was het verzet meegevallen. Pa en moe hadden zeker geen zin om wéér de strijd aan te gaan. Bovendien speelde de schande zich af buiten hun kennissenkring.

'Goh, welke postzegelverzamelingen heeft u nu?', had Rob aan haar vader gevraagd. Pa had hem vreemd aangekeken, de man met het lange haar en het bandje om zijn hoofd. Wat wist die nachtbraker nou van postzegels. Maar hij was gaan vertellen, had een sigaar opgestoken. Hij leek het zowaar gezellig te vinden.

'Heeft u dan álles van Tsjechoslowakije?', vroeg haar vriend. En pa pakte zijn boeken erbij, hij liep bedrijvig heen en weer.

Haar vader had niet veel interesse gehad in zijn jongste kinderen, dacht ze die middag. Maar misschien wisten ze ook erg weinig van hem.

Ze trouwde in 1975 met haar musicus. Zonder feest of genodigden, achteraf stuurden ze een kaartje naar de familie. 'Als je wilt kun je een stuk taart komen halen', stond erop in een hoekje. Twee dagen later kwam Frans namens de familie het huwelijkscadeau brengen: een degelijke stofzuiger die inderdaad onverwoestbaar bleek.

'Het nieuws moest even betijen', schreef Toos haar op een kaartje, 'maar we komen gauw eens bij jullie langs.'

Nico zat in Oost-Duitsland. Hij had daar, via zijn werk voor Amnesty, een kunstzinnige Oost-Duitse ontmoet op wie hij stapelverliefd was geworden en die hij nu naar Nederland probeerde te halen. 'Toen ik jouw trouwkaart las, werd ik erg verdrietig', schreef Nico vanuit Berlijn. Omdat haar man gescheiden was? Omdat hij de dag verruilde voor de nacht?

Haar broers en zussen moesten maar wennen aan een artiest in de familie. Ze deed toch wat ze wilde, dat had ze altijd gedaan. Een feministe hoefde ze er niet voor te worden.

Moe kon in die tijd soms met verbazing naar haar kijken. Ging ze nu echt nog 's avonds laat in haar eentje de deur uit? En hoe kon het dat ze zo handig was met de naaimachine, ze was toch nooit naar de huishoudschool geweest? 'Kind, dat jij dat allemaal kán', verzuchtte moe dan.

❖

Moe lag in bed en keek met grote ogen om zich heen, als een baby die verwonderd de wereld in kijkt. De eerste dagen nadat ze met de morfinezetpillen waren begonnen, had zij alleen maar geslapen. Maar nu, een week later, was ze steeds wakker.

Wonderlijk, zo helder als mevrouw nog steeds uit haar ogen kijkt,

schreef zuster Bernarda op 17 februari 1997.

Lucie probeerde moe wat sap te laten drinken. Met het geven van eten waren ze gestopt. Alleen Toos kwam soms toch weer met erwtensoep aan, omdat 'het zo zielig was als moe met een lege maag moest gaan slapen'.

Moe dronk een klein beetje, terwijl ze indringend naar haar keek, haar gezicht aftastte. Het was alsof moe, zo vlak voordat ze voorgoed zou wegzinken, nog even boven zichzelf werd uitgetild. Ze was zo teer, haar huid was zo dun, dat het leek alsof je door haar heen kon kijken. Maar tegelijkertijd was ze nu meer aanwezig dan ze in lange tijd was geweest. Ze keek en keek, met grote, blauwe ogen waarin niets meer te lezen viel; geen angst, geen pijn, geen zorgen.

Waar zou ze zijn? Wist ze nog waar ze was, wie haar kinderen waren? Zou ze mooie dromen hebben van de morfine?

Moedertje lijkt wel steeds helderder te worden.

Zo schreef verzorgster Maaike op 18 februari 1997.

Elke keer als ik bij het bed kom, ligt ze met open ogen. Ook na de wasbeurt valt ze niet in slaap.

Ze had in elk geval geen pijn meer. Haar lijf moest haar zeer hebben gedaan. Al gaf ze nooit een kik.

Op het laatst kwam er geen enkel geluid meer uit moe. Ze bewoog haar lippen weleens, dan leek het of ze iets wilde zeggen. Soms had Lucie met haar oor voor moe's mond gehangen, in een poging een geluid op te vangen dat betekenis zou kunnen hebben.

In het begin hadden ze nog wel gepraat.

'Had u wel zoveel kinderen willen hebben, moe?', vroeg ze op een avond.

'Van mij hadden het er niet zoveel hoeven zijn, hoor', mompelde moe toen.

'Nou, het moet een hele drukte voor u zijn geweest', zei ze. Meer durfde ze niet te vragen. Ze wilde haar moeder niet herinneren aan iets waaraan zij misschien liever niet werd herinnerd.

Het was één van de weinige keren geweest dat ze nog een soort van gesprek met haar had gehad. Moe zei al snel bijna niets meer. De broers en zussen hadden daar de meest wilde verklaringen voor. Maar volgens haar was de reden simpel. Moe dementeerde.

'Waar blijft Tinus nou', kon moe zomaar zeggen. Meestal praatte ze een beetje mee. 'Je weet toch hoe hij is moe, die staat weer langs de weg te kletsen.' Dan knikte moe. God ja, dat was waar natuurlijk.

Maar er waren er ook die haar corrigeerden. 'Pa is er niet meer moe, dat weet u toch wel.' Die reacties hadden moe in verwarring gebracht. Ze had gedacht: het klopt niet meer wat ik zeg. Het is een rommeltje in mijn hoofd. Daarom vond ze het beter haar mond te houden. Ze wilde geen slechte indruk maken.

Lucie probeerde moe nog wat drinken te geven. Moe wilde niet, ze draaide haar hoofd weg. 'Het is wel goed, moe', zei ze. 'Het hoeft niet meer.'

De ganse dag suffig en slaperig. Dronk enkele slokjes water. Kreeg de zetpillen. Ze ziet er erg rustig uit. Alles losgelaten en overgegeven? We hopen het!

Zo schreef verzorgster Maaike op 21 februari 1997.

Het was bijna twee weken nadat ze al haar broers en zussen had gebeld om te vertellen dat ze naar de dokter zou gaan.

12 Guus [1953]

'Zijn Lucie en Guus Koelemeijer in de zaal?' De film, *Breaking the Waves*, was net begonnen, toen de deur van de bioscoopzaal open ging en iemand hen riep.

'Dat is voor moe', zei Lucie, met wie hij deze zaterdagavond uit was. Ze pakten hun jassen en zochten een weg naar de uitgang. Een personeelslid wachtte hen op in de hal. 'Het spijt me. Uw oma ligt op sterven', zei de jongen.

'M'n oma? M'n moeder zal je bedoelen, lul!', zei hij lachend. Hij sloeg de jongen op zijn schouder. Zo maakte hij zijn soms grove grappen altijd weer goed.

Bij moe thuis zat de kamer vol. Bijna iedereen was er. Hij zag Jo, Maarten, Nico, Gerard, Martien, Frans. Zuster Bernarda, de non die moe zo lang had verzorgd, was ook gekomen.

'Waar is Piet?', vroeg hij aan Jo, die juist deze avond op moe paste.

'Piet zit in z'n huis op de Veluwe', zei Jo. 'Die hebben we nog niet gebeld. En Jan is in z'n villa in Oostenrijk.'

'En Marian?'

'Marian vond het niet nodig om helemaal op de fiets

vanuit Assendelft te komen', zei Jo. 'Maar Toos zal later nog komen.'

Er werd koffie geschonken, op gedempte toon gepraat. Voor het Mariabeeld brandde een lichtje. Hij ging bij moe kijken, die in de achterkamer lag. Zuster Bernarda zat naast het bed en hield haar hand vast. Moe sliep, zo leek het. Ze had haar ogen dicht en ademde rustig, hij zag haar borstkas onder de dunne deken regelmatig op en neer gaan.

Vals alarm, schoot het door zijn hoofd.

Hij moest terugdenken aan die avond in 1986 dat ze allemaal in allerijl naar het ziekenhuis moesten komen omdat pa op sterven lag. Het was op een zaterdag, hij had het erg druk gehad op het tuincentrum in de Beemster en was bekaf. 'Ik ga eerst douchen, hoor', zei hij tegen zijn vrouw. 'Als ie dood gaat, gaat ie maar dood, jammer dan.'

Eenmaal in het ziekenhuis, bleek het zo'n vaart niet te lopen. Pa had een hersenbloeding gehad en lag in coma, maar was niet stervende. Ze besloten om beurten 's nachts bij hem te waken. 'Ik ga wel eerst', had hij gezegd. Hij was er nu toch. Het kwam wel goed uit, zondag was de enige dag dat hij vrij had. En wie weet hoe lang het nog duurde. Als hij wachtte tot volgende week zaterdag, zou hij misschien niet meer aan de beurt komen.

Het was een lange, vreemde nacht geweest. Nog nooit had hij zo lang en zo dicht bij zijn vader gezeten. Maar hij raakte hem niet aan. Dat deed hij pas later, toen hij voor de derde en laatste keer kwam.

Pa lag toen al twee weken in het ziekenhuis. Hij was die nacht wakker geworden, rond een uur of twee, en had gedacht: ik moet erheen, nu. Nico zat alleen, wist hij, die lag in een scheiding. Zijn broer was somber, op het depressieve af, zoals hij dat soms zelf ook kon zijn. Ze maakten er weleens zwarte grappen over. 'Een gevolg van zwáár gebrek aan aandacht in de jeugd, Nico', kon hij dan lachend zeggen.

Een beetje steun kon zijn broer wel gebruiken. Hij reed met hoge snelheid naar het ziekenhuis. 'U komt precies op tijd', zei de verpleegster. 'Het gaat erg slecht met uw vader.'

Pa was rusteloos. Hij woelde, zweette, had diarree, gaf over. Af en toe mompelde hij iets onverstaanbaars. 'Misschien moet u de familie waarschuwen', zei een arts nadat hij pa had onderzocht. Nico ging weg om moe te halen, die bij Jo logeerde. Toen was hij met z'n vader alleen.

'Zo ouwe cowboy, rustig maar.' Voorzichtig schoof hij een bil op het bed. Hij raakte even pa's borst aan, kneep zachtjes in zijn arm. Zijn hand vasthouden kon hij niet. Maar zo was het goed. Hij was blij dat hij er was. Nooit hadden ze elkaar begrepen, de oudste lummel en de jongste lummel. Er waren jaren geweest, vroeger, dat hij amper een woord met zijn vader wisselde. Maar nu waren ze samen.

Tegen half zes – het eerste licht kroop naar binnen – kneep pa plotseling heel stijf zijn ogen dicht. Dat was het, wist hij meteen. Nog even legde hij zijn hand op zijn voorhoofd. Dag pa, wilde hij zeggen, maar hij zei niets.

Moe kwam te laat. Jo had natuurlijk weer zitten treuzelen. Eerst nog een kopje thee, wat moeten we meenemen, is het koud buiten. Toen ze binnenkwamen, was pa al bijna afgelegd. 'Ach jee, dat ís toch snel gegaan', zei moe, met die soms koele nuchterheid van haar. 'Nou ja, het is misschien beter ook zo. Hij heeft niet hoeven lijden.'

Ze huilde niet. Niemand huilde. Hij reed terug naar

huis, de zon kwam net op boven de weilanden. Hij had keihard een nummer van Bad Company gedraaid en zich wonderlijk licht gevoeld.

Dat was toen, in 1986. Nu, op 22 februari 1997, zou zijn moeder gaan. Naarmate de avond verstreek, was ze steeds onrustiger geworden. Iedereen stond om haar heen. Zuster Bernarda zat aan het hoofdeinde van het bed, dicht bij haar. Ze haalde slijm uit haar mond, hield een koel doekje op haar voorhoofd.

'Wees gegroet Maria, vol van genade', bad zuster Bernarda. Dat was mooi, dat zij moe kon steunen in haar geloof, haar zo lief en zacht de hemel in kon praten. Verder werd er niet veel gezegd. Hij zou geen gebed over zijn lippen kunnen krijgen.

❖

Lucie en Frans vierden die zomer de vrijheid op Texel, maar hij was pas zestien en alleen thuisgebleven, met pa en moe. Op een nacht schrok hij wakker. Hij lag op zolder, in een van de vele twijfelaars die er waren blijven staan. Beneden hem, in de slaapkamer van pa en moe, klonk gestommel. Hij ving flarden op van moe's stem. 'Maak je niet zo druk... ga toch slapen... het is toch niet zo erg...'

De deur ging open. Pa liep op de overloop. Voorzichtig sloop hij zijn bed uit, hij keek door het trapgat naar beneden. Pa droeg zijn nette pak en hield een kaars in zijn hand. Hij ging de trap af, liep beneden een rondje en kwam weer naar boven. 'Onze Vader...'

Hij liep hardop te bidden, die gek. Pa knielde, vouwde zijn handen, boog zijn hoofd.

'Kom nou, ga weer te bed man...' Zijn moeder. Ze stond in haar nachtpon in de deuropening. Haar krullen zaten in de war. Ze zag er moe uit. 'Trek het je toch niet zo aan...'

Hij wist waar ze het over had. De dag ervoor was ome Jan begraven, de broer van pa die naast ome Lau woonde. Na afloop van de begrafenis was er een broodmaaltijd geweest in het Verenigingsgebouw. Iedereen zat nog na te tafelen, toen Maarten opstond en zei dat hij ervandoor moest. Pa liep achter hem aan. 'We hebben nog niet gebeden!', riep hij, zo hard dat iedereen het kon verstaan. 'Hoe heb je het lef! Bid jij niet meer?!'

Maarten mompelde wat en liep snel door. Het rumoer zwol weer aan. Moe gebaarde dat pa moest gaan zitten. 'Maak je niet zo druk, jij.'

Pa was de hele dag niet te genieten geweest. Dat ook Maarten, de zoon met wie hij nog altijd op goede voet stond, vergat te bidden, moest een slag in zijn gezicht zijn. En nu restte hem kennelijk niets anders dan een belachelijk bezweringsritueel, een nachtelijk gebed om Gods vergiffenis.

Hij kroop weer in zijn bed. Slapen kon hij niet meer. Hier was hij dan, alleen met moe en een verknipte vader. Gek onder de gekken. Aan Marian, die al op kamers woonde, maar deze nacht thuis sliep, had hij toch niets. Ze zou wel niks gehoord hebben, of morgen doen alsof. Marian had wel wat anders aan haar hoofd, hij had gerust wel door dat ze al met Klaas naar bed ging.

Het werd weer stil beneden. Buiten zong een eerste vogel. Hij nam zich voor pas op te staan wanneer pa naar zijn werk was.

Als hij diep groef, vond hij één herinnering waarin de wereld nog heel was, de band intact. Pa lag op een hard bed in de voorkamer omdat hij ischias had. Een klein jongetje was hij nog. Pa had hem op bed getrokken.

'Kom eens hier, dan kun je het goed zien.'

Hij lag lekker warm tegen zijn vader aan. Ze keken samen naar buiten. Aan de overkant, bij de boerderij van Meijer, kwamen mannen met hoge hoeden en zwarte jassen door de voordeur naar buiten. Ze droegen de oude buurman Meijer in zijn doodskist. Het was niet gemakkelijk om het stoepje af te gaan. Eén hoge hoed wankelde, bijna lag buurman Meijer op straat. Ze moesten er samen om lachen. Zachtjes, want dat mocht natuurlijk niet. En heel even aaide pa over zijn hoofd. 'Kleinste kleintje.'

Ook zijn allereerste herinnering ging over de dood. Hij was nog geen drie en ging op moe's arm bij Jos kijken, die in een kist in de koude voorkamer lag. Ze liep zachtjes, voorzichtig, kwam niet te dichtbij. Ze wilde hem niet laten schrikken. 'Je broer is lekker gaan slapen', zou ze wel hebben gezegd.

Hij keek later vaak in het fotoboek van Jos' begrafenis. Een bruin album met sombere zwart-witfoto's die uit een andere tijd, een ander dorp, een andere familie leken te komen. Het album had voor hem bijna dezelfde, opwindende aantrekkingskracht als het boek over de watersnoodramp in Zeeland, dat ernaast in de kast stond.

Soms probeerde hij zich voor stellen wie Jos was geweest. Of hij net zo eigenwijs was als Maarten. Of goeiiger, meer een jongen als Gerard. Het was niet eenvoudig om erachter te komen, want er werd bijna nooit over Jos gesproken.

Pa had hem niet nodig, nu het bedrijf goed liep. 'Ga jij maar spelen', zei hij. Maar er was op de buurt niemand meer om mee te spelen. Iedereen was ouder dan hij. En vriendjes op school had hij niet, want voordat hij naar de eerste klas ging had hij al zoveel jaren in z'n eentje op het erf lopen rotzooien, dat hij niet gewend was een afspraak te maken, een verjaardag te bezoeken, zoiets te doen als 'iets leuks samen'.

Hij gaf zichzelf opdrachten. Hij moest nuttig zijn. 'Guus, er kan wel een nieuw hek komen bij het kalfjesland.' En dan sleepte hij een omgekapte boom door het water naar het kalfjesland, groef hij een gat in de grond, zette hij de boom erin, spijkerde hij planken vast.

'Er is hout nodig thuis.' En dan reed hij kruiwagens vol hout naar binnen, zodat ze 'alvast een lekker voorraadje hadden voor de winter'.

'Die rij elzen in de boomgaard kan wel om.' En dan pakte hij een handzaag en haalde hij alle bomen om, want die waren 'goed voor de kachel', zo vertelde hij zichzelf.

Niemand bemoeide zich met hem. Als hij uit school kwam, dronk hij, onder het goedkeurend oog van zijn moeder, vijf pollepels melk en dan vertrok hij alweer, naar buiten.

Tot hij twaalf werd en pa ineens begon te zeuren. 'Jij kan me vanmiddag wel helpen, stenen rapen.'

Pa spitte een stuk land om. Elke keer als er een steen naar boven kwam, moest hij die oppakken en op een hoop gooien. De grond zat vol stenen, ze schoten niet op. Het was pesten, puur pesten. Pa probeerde hem thuis te houden. 'Jij hangt maar rond bij de boeren hier, dat wil ik niet hebben.'

Maar bij boer Dokter mocht hij op een tractor rijden, sloten uitbaggeren, koeien van de ene naar de andere wei brengen, helpen als er lammetjes geboren werden. Als het moest, haalde hij in z'n eentje een hele hooiberg leeg.

'Guus Koelemeijer, díe kan werken', schepte boer Dokter over hem op. Dat zou je van pa nooit horen.

Het werd al donker. Ze hadden nog maar een half veld gedaan. Hij kreeg het koud. Pa werkte stug door. 'Nog even dat hoekje, morgen doen we de rest wel.' Maar hij wist zeker dat hij zich morgen thuis niet zou laten zien.

Hij ging pas zijn bed uit als pa al weg was. En 's avonds kwam hij zo laat thuis dat hij bijna direct naar boven kon. Aan tafel wisselden ze alleen het hoogstnodige uit. Goed, ja, nee, we zullen wel zien, ik heb geen zin, ik ben wel naar de kerk geweest, m'n huiswerk is al af – en vaak geeneens 'dag' of 'ik ga' als hij weer opstond.

Op een keer – hij was pas dertien en niemand lette op hem – ving hij een gesprek op tussen moe en Piet.

'Kan het bij een vrouw altijd?', vroeg Piet.

'Nee, bij een vrouw kan het niet altijd', zei moe.

'En bij een man dan?'

'Ja, een man kan altijd kinderen maken.'

Daarna zwegen ze. Piet stak een sigaret op. Moe keek hem bezorgd aan. 'Wil je koffie?', vroeg ze.

Piet gaf moe een sigaretje. Moe blies grote rookwolken de kamer in. Ze zette het raam open.

'Het zal vast goed aflopen', zei moe.

'Anders bouw ik gewoon een kamer voor Lia en mij in de nieuwe garage', zei Piet.

Guus wist niet dat je ook zo met je moeder kon praten. Hij sprak met moe alleen over het huiswerk dat al af was of juist nog niet, over etenstijd, zijn pollepels melk en waar hij nu toch weer was geweest.

Ome Jo was ook alleen. En ome Jo was zijn vriend, want die gaf hem appeltjes en dikke plakken ontbijtkoek met boter. Elke dag na schooltijd rende hij meteen naar de boerderij. Hij gooide de deur van de stal open, riep: 'Ik kom helpen met melken!'

Maar op een dag bleef het stil. Het was donker in de stal. De koeien staarden hem aan.

'Guus, kom es.'

Eerst kon hij ome Jo niet vinden.

'Waar bent u?'

'Hier, aan het einde van de stal.'

Nu zag hij hem. Ome Jo zat op zijn hurken en hing met zijn blote billen boven de groep, waarin de koeien scheten. Hij mompelde wat. Het klonk als vloeken.

Hij liep naar ome Jo toe. Hij durfde niks te zeggen. Er was iets mis gegaan. Ome Jo poepte wel vaker in de groep. Dat vond ie wel zo makkelijk, als hij toch in de stal aan het werk was. Maar nu zaten zijn witte billen onder de stront. Hij pakte een bosje stro en veegde de smurrie er voorzichtig af. Ome Jo trok zijn trui een beetje omhoog. Ook zijn magere rug was smerig. Hij pakte nog wat meer stro. Hij boende nu zo hard hij kon. Ze spraken geen woord.

Hij dacht aan wat er op de buurt werd verteld. Ze zeiden dat ome Jo 's nachts schreeuwde dat hij dood wilde, dat het een zonde was. Hij 'kon het allemaal niet goed meer aan', fluisterde moe.

Ze moesten een huisje voor ome Jo in de boomgaard bouwen. Een huisje waar zijn oom lekker zijn eigen gang kon gaan en niets meer hoefde. Zelf droomde hij er ook weleens van om kluizenaar te worden. Het leek hem heerlijk om ergens eenzaam en alleen te wonen en elke dag net zo veel suiker in je melk te kunnen doen als je zelf wilde.

Ome Jo stond op. Ze keken elkaar even aan. 'Pak jij de melkbussen maar vast.' Ze deelden nu een geheim.

Hij had ome Jo willen helpen. Hij had dat huisje in de boomgaard voor hem willen bouwen. Maar het was al snel te laat, want er kwam een grote auto die ome Jo naar het bejaardenhuis bracht. En iedereen zei dat het 'maar het beste was zo'.

Niet veel later werd de boerderij door Jan en Piet afgebroken. Elke dag na schooltijd kwam hij helpen. Hij was pas een jochie van dertien, maar zo sterk dat hij hele muren naar beneden kon halen. Intussen dacht hij aan zijn vriend, ome Jo, voor wie hij niets had kunnen doen.

Pa zei dat hij naar het St. Michaël College moest. Maar omdat pa het vond, wilde hij niet. 'Lucie zit er toch ook op', zei moe. 'Doe nou niet zo dwars.' Zijn zusje. Het prinsesje. Het lievelingetje. Lucie ging alles makkelijk af, Lucie was braaf.

Ze stuurden hem naar de proefklas. Alleen zijn Duits leerde hij, om te laten zien dat hij het echt wel kon. Verder deed hij niks. Een jaar later zat hij op de lts, waar hij voor timmeren koos.

Hij kende weinig verhalen waarin ook de anderen voorkwamen. Zijn broers, zijn zussen, zijn neven en nichten. Alsof ze er niet waren, er niet toe deden, en misschien was dat ook wel zo.

Frans redde hem. Want Frans zei op een dag: 'Waarom ga je ook niet eens mee naar Drieluik?'

Zeventien was hij. In het kale café van het jongerencentrum hing hij met Frans aan de bar. Ze luisterden naar muziek van de Stones, hij dronk jus d'orange. Hij wist zich niet goed een houding te geven. Het publiek zag er nogal intellectueel uit. Misschien waren ze wel

communist. Hij had nog nooit met een communist gepraat.

'Potje dammen, Frans?', vroeg een jongen. Hij had
lang, krullend haar, heldere, blauwe ogen en een hoog
voorhoofd.

'Ik heb geen zin. Jij misschien, Guus?', zei Frans.

Hij zei ja en had daar meteen spijt van. Maar hij kon
niet meer terug. Ze gingen in een hoekje aan tafel zitten.
De jongen speelde niet slecht. Hij moest zijn hoofd er
goed bij houden. Hij wilde winnen. Hij moest en zou
winnen. Het lukte, net aan. De jongen feliciteerde hem.

'Wist je wel dat die jongen damkampioen van Noord-
Holland is', vertelde Frans later.

'Had je niet gedacht, hè', zei Guus, 'van zo'n stomme
boerenpummel als ik.'

Hij trok zichzelf uit de prut en de bagger omhoog. Frans
gaf hem boeken over marxisme, psychiatrie, en de goe-
derenstromen in de kapitalistische wereldeconomie.
Soms ging hij ook mee met zijn broer naar college. Sociologie, van een inspirerende man die Wertheim heette.
Geweldig was het, wanneer iemand zijn vinger opstak
en hij zelf het antwoord al wist.

Op een vrije middag ging hij een keer naar de rechtbank, om te kijken hoe het daar werkte. Hij bezocht bij-
eenkomsten van de communistische vakbond, woonde
een dienst bij van een alternatief kerkgenootschap. Alles
en alles wilde hij weten.

'Hier, lees dit', zei iemand in Drieluik. Het was een
boek van Jef Geeraerts: *Tien brieven rondom liefde
en dood*. Hij las het op zijn bed op zolder, soms met
kloppend hart. Er werd geneukt in het boek, verkracht,
gevochten, geschopt tegen het lafhartige, stomme sys-
teem.

Niet veel later zat hij in Drieluik een avond lang te discussiëren over de anti-psychiatrie en Dennendal, de instelling waar Carel Muller streed voor de bevrijding en zelfontplooiing van de geesteszieke, maar misschien lang niet gekke medemens.

'Jij moet meer boeken lezen, joh', kon hij triomfantelijk zeggen tegen een jongen van wie hij zeker wist dat die op de universiteit zat. Al snel had hij ook een vriendin; een meid die aan de pil was en in zijn oor fluisterde hoe hij zijn ruwe, onhandige werkershanden ook teder kon laten zijn.

Frans trouwde, Lucie ging samenwonen en Nico betrok een flat in Hoorn. Hij woonde nu alleen met pa en moe. Tot op een dag, het was in 1974, ook zij 'op kamers' gingen, zoals hij overal vrolijk rondbazuinde. 'Pa en moe zijn weg! Zomaar pleite! Ze zijn op kamers gaan wonen!'

Hij vermoedde dat ze plannen hadden om te verhuizen, maar wist niet dat ze al zo snel een huis hadden gevonden in Heiloo, kennelijk via een van de steile paters bij wie ze daar kerkten. Ze hadden het er nooit over gehad.

Op een avond kwam hij thuis en zag hij dat het hele huis was leeggehaald. Alles hadden pa en moe meegenomen, behalve wat serviesgoed, weckflessen en oude spiraalbedden met kuilen in het midden. Wie hen geholpen had met verhuizen, wist hij niet. Ze waren weg. Hij liep door lege kamers. Het eerste wat hij deed, 's avonds laat nog, was een nieuwe tafel voor zichzelf timmeren.

'Moe wilde weer lekker terug naar Heiloo', vertelde de familie. 'Daar kwam ze vandaan.' Maar ze waren gevlucht, als dieven in de nacht. Zijn vader had eindelijk begrepen dat hij zich niet meer elke dag met het bedrijf van Piet en Jan moest bemoeien. Hoe vaak had hij zijn vader niet scheldend thuis horen komen 's avonds. De jongens pakten de zaken niet goed aan, de jongens dronken, de jongens gingen niet naar de kerk. Moe werd er ook gek van. Ze was eens zo kwaad geweest, dat ze een paar dagen helemaal niets had gezegd, zelfs niet goedemorgen. Het moest ook voor haar een opluchting zijn om te verhuizen.

Juist in die dagen studeerde Gerard af, na ruim acht jaar. Hij was bijna dertig en had een baantje als jurist gevonden in Velzen. 'Kan ik niet bij jou komen wonen?', vroeg Gerard, vlak nadat pa en moe waren vertrokken. 'Alleen is ook maar alleen.'

Moe kwam regelmatig bij hen langs, als pa zijn rondje maakte op het tuincentrum. 'Eten jullie wel goed?', zei ze dan. 'Wie kookt er, kunnen jullie dat wel?' Soms ook nam ze haar zus Annie en een paar emmers en dweilen mee. Want een huishouden zonder vrouw, mopperden ze, dat kon je wel zien.

Guus bewaarde een foto uit die tijd. De foto was genomen bij pa en moe in Heiloo. Gerard en hij waren op visite. Ze zaten onder de parasol op het plaatsje achter het huis en dronken koffie. Hij had zwart, lang haar tot over zijn schouders, Gerard droeg nog altijd zijn studentikoze bril met zwaar montuur.

Moe hield een baby op schoot. Het was Conrad, een Poolse vluchtelingbaby die met zijn vader Angé bij hen in huis woonde. De baby had een sigaret in zijn mond, die had hij hem in een jolige bui gegeven. Moe glimlachte naar de camera.

'Wat vind je ervan om een paar Russen in huis te nemen?', vroeg Gerard op een dag, in 1975. Gerard werkte in z'n vrije tijd als coördinator bij Amnesty. Er was grote behoefte aan opvang van politieke vluchtelingen.

'Ik vind het best', zei hij. 'We hebben nog bedden zat.' Hij had moeten lachen. 'En we zijn toch hartstikke links en solidair met de onderdrukten, Gerard.'

Zo kregen ze achtereenvolgens twee Russen, twee Chilenen en een Pool met baby in huis. Bevlogen spraken ze over een wereld waarin iedereen broeder was, één grote happy family eigenlijk. En op oudejaarsavond nodigden ze alle buren uit om kennis te maken met de excentrieke, vaak langharige nieuwkomers in het dorp. Dan kookten de Chilenen iets met bonen en dansten ze tot diep in de nacht.

Ze zaten bij Piet en Lia, zoals zo vaak. Hij wist niet hoe laat het was. De bielzen tafel was bezaaid met bierflesjes. De doppen stopte hij, voor de lol, in het macramé-kunstwerk van Lia dat boven de bank aan de kale, bakstenen muur hing.

'Jim Morrison was great man', zei Angé, de Pool die nu sinds een aantal maanden met zijn baby bij hen was. Angé zette een lp van The Doors op. *L.A. Woman*, die plaat draaiden ze vaak de laatste tijd. 'Dat is echt geweldige muziek, Angé', zei Piet.

De rauwe stem van Morrison denderde de kamer binnen.

Give me your blues, give me your blues yeah, give me your blues blues blues, give me your blues oooh yeah...

Lia danste op het parket. Ze hield haar armen wijd. Haar gebloemde jurkje wapperde met haar mee.

Zelf dronk hij nooit. Hij durfde niet, was bang de controle te verliezen. En hij leefde ook zonder alcohol al in een roes. Angé, die een paar jaar ouder was dan hij, nam hem op sleeptouw. Ze zwierven nachtenlang door Amsterdam, konden uren en uren praten over het leven en de liefde, ze reden soms 's ochtends nog naar zee om de zon te zien, met Pink Floyd op de radio.

Waarom Angé precies was gevlucht, was hem nog steeds niet duidelijk. Zoals hij ook de verhalen van de Russen en de Chilenen nogal vaag had gevonden. Er was van alles met hen aan de hand, maar echte helden of slachtoffers van de dictatuur leken ze niet. Wat dat betreft waren Gerard en hij al snel hun naïeve optimisme kwijtgeraakt. 'De gemiddelde vluchteling is gewoon een sukkel', grapten ze nu met elkaar.

Eén probleem had Angé wel: hij was verslaafd aan heroïne. Daar wisten ze in het begin ook niks van. Ze hadden Angé, nadat diens vrouw was overleden aan een overdosis, in huis gehaald onder voorwaarde dat hij niet meer zou gebruiken. 'Dat moet niet zo moeilijk zijn', had hij zelf nog gezegd. 'We kunnen hem toch een nieuw perspectief bieden.'

Nachtenlang had Angé rillend voor de open haard gezeten, met een kratje bier naast zich dat al snel leeg was. De volgende ochtend liep hij dan, in zijn grote, witte jas van schapenwol, met de kinderwagen naar het winkelcentrum om een nieuwe voorraad drank te halen.

Nu was Angé clean. Elke ochtend gingen ze samen aan het werk op het tuincentrum, waar ze een nieuwe kas bouwden voor Piet. Het ging goed. Ze hadden lol. Voor zo lang als het duurde dan, want de psychedelische tekeningen van dansende injectiespuiten die Angé maakte, beloofden weinig goeds.

Maar hoe het ook zou aflopen: deze maanden had hij nooit willen missen. Hij had zich, in het kielzog van die kleine, dikke, gekke, sympathieke Pool, voorgoed losgemaakt van zijn jeugd, van heel die afgepaste, rationele, zakelijke mentaliteit waarmee hij was opgevoed.

Gerard zag het met lede ogen aan. 'Ga je niet te ver, Guus', zei hij soms. 'Man, ik ben nog geen dag niet naar m'n werk gegaan', antwoordde hij dan.

Piet begreep hem wel. Ook al was ie druk met zijn zaak en zijn gezinnetje. Net als vroeger, hield Piet er nog steeds van om door te zakken. Ze gingen soms met z'n allen dansen, in een club in Purmerend. En ze luisterden nachtenlang, zoals nu, naar muziek van The Doors, Bad Company, Led Zeppelin en de J.J. Geilsband.

De rest van zijn familie zag hij niet vaak meer. Moe kwam nog wel eens bij hen binnenlopen, maar pa meed hun 'asielnest' als de pest. Ook Maarten, Toos en Jo lieten zich zelden zien. Ze hadden weinig gemeen, hij en zijn oudere broers en zussen.

Laatst hadden ze een familiefeest gehad. Een verjaardag van twee oude tantes, in een tuttig partycentrum langs de snelweg. Na afloop waren ze met z'n twaalven plus aanhang nog wat gaan eten in het pannenkoekenhuis in Bakkum. Jo en Toos gingen met hun echtgenoten en kinderen niet bij hen aan tafel zitten. Dan ging het 'allemaal te lang duren', zeiden ze. En de kinderen moesten op tijd naar bed.

Hij had het hele verhaal opgeschreven.

Grote lol aan de grote tafel. Jengelende kinderen en gefrustreerde ouders aan de kleine tafeltjes, maar wel eerder eten en dat is tenslotte belangrijk.

Maar wij pakken eerst een paar flessen wijn en het wordt steeds gezelliger. Dan wordt de verleiding te groot en komt Toos met de kinderen om zich in godsnaam bij de rondscharrelende troep aan te sluiten. Na afge-

rekend te hebben (en dit is een belangrijk detail: oude
situatie geëindigd, nieuwe geboren, nieuwe houdingen
kunnen worden aangenomen), komt Jacques erbij:
'Knots gezellig hier, lui.' En ook Toos en Jacques genie-
ten volop.

Hij schreef in één adem door, als zong hij een popsong:

Contact,
wat is er beter dan contact.
Verbaal, non-verbaal,
contact, contact, contact.
Geluk beleven door middel van de ander,
liefde te ontvangen, liefde te geven,
weg met de kloterigheid.

En:

Reageer spontaan, doorbreek verwachtingspatronen,
reageer nu op de manier waarop je jezelf per moment
wilt laten gaan, laat zien, geef je bloot, ontdooi, ontdoe
je van vorm en vormgeving...

Over die dingen had hij het, met Angé. Ze begrepen
elkaar.

De kamer bij Piet en Lia zag blauw van de rook nu.
Blowen deden ze niet. Ze hielden het bij bier en zware
caballero's.

Piet vertelde dat hij met Lia naar een cursusweek
was geweest over 'de zin van het gezin'. Ergens in een
boerderij op de hei. Het was ze niet meegevallen. Bijna
alle deelnemers bleken in een scheiding te liggen. Piet
lachte. 'Wat een gelul. Elke avond zaten ze te janken,
die lui.'

Angé zette nog een keer *L.A. Woman* op. Lia stak nog een paar kaarsen aan. 'Jij nog een biertje, Gerard?', vroeg Piet.

Guus stond op en keek uit het raam, naar de boerderij van Meijer waar hij als jongetje zo vaak werkte. Er brandde nergens licht meer. Hij herinnerde zich hoe hij ooit in het donker naar de overkant was geslopen. Hij was een jaar of zeven en vroeg wakker geworden. De klok stond op zes uur, dacht hij, de buurman zou zo wel gaan melken. Hij ging bij Meijer in de hooiberg zitten en wachtte. Maar het bleef donker en stil. Hij wachtte lang. Uiteindelijk liep hij terug naar huis, waar hij nog een keer op de klok keek. Hij had zich vergist. Het was midden in de nacht. De wijzers hadden, toen hij wakker werd, niet op zes uur gestaan, maar op half twaalf. Hij kroop snel weer in zijn bed. Niemand had hem gemist.

Onvoorstelbaar, wat had hij een enorme sprong vooruit gemaakt sindsdien. Kijk naar het eenzame, stille jongetje dat hij was. Nooit van het dorp af geweest. Zijn voorbeeld was ome Jo. Zo zou hij ook worden. Hij zou altijd alleen blijven en zijn rug kapot werken. In mooie vreemde landen zou hij wel nooit komen. Niets had hij verwacht van het leven, helemaal niets. Al tweehonderd jaar waren de Koelemeijers ploeteraars en hij, de laatste, zou bewijzen dat het niet anders werd.

En zie nu. In vijf, zes jaar tijd was zijn wereldbeeld gekanteld. Hij zou zijn rug niet kapot werken, zelfs voor de kleinste klusjes had je tegenwoordig machines. Hij zou niet stom en onwetend blijven, want ook een boerenpummel als hij kon nu naar college gaan, boeken lezen, documentaires kijken op tv. Hij zou vrouwen beminnen, vrienden maken. En hij zou wél verder komen dan het dorp, want hij werkte nu ook in het familiebedrijf en hij kon een vliegtuig nemen naar waar hij maar wilde.

Hij draaide zich om. 'Angé!', riep hij. 'Weet je wel dat wij de gelukkige generatie zijn?!' Angé lachte, draaide de volumeknop omhoog.

L.A. Woman, your're my woman...

Iemand riep door de muziek heen. Het geluid kwam van ver, van boven. 'Mámá, záchter!!!' Hij keek omhoog. Op de bielzen trap zaten de kinderen van Piet. Twee kleine blonde meisjes. 'We kunnen niet slápen! Waarom doen jullie zo raar?!'

Lia zette de plaat af en liep naar boven. Het was vreemd stil in een keer. Gerard rekte zich uit en zei dat hij slaap kreeg. Piet begon de flesjes op te ruimen.

'We gaan, Angé', zei hij. Ze trokken hun jas aan. Buiten was de nacht fris en helder en rook het naar koemest, net als vroeger.

❖

Het liep tegen elven. Moe moest al een eind op weg zijn naar de hemel, waar ze ongetwijfeld met trompetgeschal zou worden ontvangen. Ze reageerde nergens meer op. Er was alleen haar adem, haar rochelende hoest, het slijm dat steeds omhoog kwam.

Zo klein was zijn moeder nu, zo mager, zo niets meer. Moe gestreden na een lang en zwaar leven.

Hij was altijd blij dat ze in Heiloo nog zulke goede jaren had gehad, na de vlucht uit Wormer. Eindelijk rust, genoeg geld op de bank. Vakanties met nette gezelschappen op Rhodos, in Lourdes, in Tsjechoslowakije. Kerst- en paasfeesten thuis met hordes kleinkinderen.

Pa was toen ook weer wat beminnelijker geworden. Als zijn kinderen op bezoek kwamen, vermeed hij moeilijke onderwerpen.

'Hebben jullie écht zoveel bloeiende planten verkocht?', kon pa verrast zeggen als hij met Pasen op bezoek kwam. 'Het is toch niet te geloven.'

Meestal zat hij zelf maar wat te snoeven. 'Ik heb nu 50 duizend gulden over, pa, wat zal ik daar eens mee gaan doen. Ergens in het buitenland een huisje kopen maar?'

Hij wilde laten zien dat hij, als jongste, nu ook meetelde in het familiebedrijf. Het tuincentrum in de Beemster groeide snel. Hij moest zijn vader nageven dat het indertijd een goede zet van hem was geweest om in de polder een winkel te beginnen. In de loop der jaren hadden ze er steeds meer land bij kunnen kopen – al was het maar om er een parkeerterrein op aan te leggen.

'En we gaan er nóg een kas bij bouwen, pa.'

'Tsjongejonge, Guus.'

Je kon niet zeggen dat ze het echt ergens over hadden. Maar ze praatten in elk geval. Hij hield zich braaf aan het 'bezoekschema voor pa en moe' dat in de familie circuleerde. Er was geen ruzie. En moe schonk koffie en was allang tevreden.

Ook na de dood van pa, toen moe naar Wormer was verhuisd, had ze het nog naar haar zin gehad. Ze was weer dicht bij haar kinderen, kreeg veel visite. Hij had toen zelfs nog wel eens een poging gedaan om met haar te praten.

'Hoe was dat nu, met Jos', vroeg hij.

'Ach jongen', zei ze, 'daar moet je overheen zien te stappen, je kunt niet altijd blijven treuren.'

Hij had ook gevraagd of ze niet nog méér kinderen had willen hebben. Eigenlijk wilde hij weten of ze wel blij was geweest met hen allemaal. Maar deze vraag klonk aardiger. 'Er waren ook families met zestien kinderen moe, had u dat niet gewild?'

'Nee hoor', zei ze snel. 'Het was goed zo. Het hadden er nog wel meer kunnen zijn, want ik had ook weleens een miskraam...'

'...echt waar?'

'Ja, een paar keer. Maar dat was misschien beter ook. Er was vast iets niet goed met die kinderen. En op een gehandicapt kind zaten we natuurlijk ook niet te wachten.'

'Maar was het niet zwaar, met zoveel kinderen', vroeg hij dan toch maar.

'Ach, ik ging soms 's avonds naar de kerk. Dan had ik even rust en bad ik God om kracht.'

Veel verder was hij niet gekomen. Moe was koffie gaan halen, ze had eroverheen gepraat.

Hij had het niet erg gevonden dat ze de laatste jaren niet meer sprak. Was het ooit anders geweest? Ze had zich toch nog nooit laten kennen? Vroeger bewaarde ze de harmonie door haar kop te houden. En zo had ze ook nu stilzwijgend het hele zootje bij elkaar gehouden.

Want stel dat ze had kunnen praten, had verteld hoe vervelend het was om op de wc gezet te worden. Dat was toch een gênante toestand geweest? Hoeveel discussie had zo'n situatie niet opgeleverd! 'Moe zegt dit.' 'Nee, je begrijpt het verkeerd, moe wil juist iets anders.' Of: 'Hoe kom je dáár nou bij, tegen mij zei moe dat...' Het was de vraag of ze het dan zo eensgezind hadden volgehouden, acht jaar lang. En of ze dan nu met z'n allen aan haar bed hadden gestaan.

Haar zwijgen was haar liefde geweest.

Straks, als ze er niet meer was, viel de hele club geheid uit elkaar. Hij keek naar Maarten, Jo, Gerard, Nico, Frans. Hoe vaak zou hij ze nog zien? Misschien alleen als ze jarig waren, een feestje vierden, of hem speciaal zouden uitnodigen voor dit of dat.

Zuster Bernarda vroeg om een handdoek. Moe gaf erg veel slijm op. Hij begreep niet waar ze de kracht vandaan haalde om al die troep er nog uit te werken. Maar misschien was dat het laatste. Misschien putte ze zich uit, om zich daarna helemaal op en leeg over te kunnen geven.

Af en toe liep één van hen weg om naar de wc te gaan of wat te drinken te pakken. Er werd gepraat, een sigaretje gerookt. Alleen zuster Bernarda en Lucie bleven steeds heel dicht bij moe zitten. Zuster Bernarda bad zachtjes. Hij moest steeds naar het gezicht van zijn moeder kijken. Hij vroeg zich af of ze nog zou glimlachen voor ze ging. Of dat ze net zo'n grimas zou trekken als pa.

Maar er gebeurde niets. Ze ontsnapte hun stilletjes.

'Het is gebeurd, jongens', zei zuster Bernarda. Ze sloot voorzichtig moe's ogen. Iedereen kwam om het bed staan. Zuster Bernarda bad een onzevader voor. De meesten prevelden zo'n beetje mee.

'Dat jullie moeder moge rusten in eeuwige vrede', zei zuster Bernarda.

Even was het nog stil. Maar al snel nam het geroezemoes weer toe. Niemand huilde.

Gerard belde Piet op de Veluwe en Jan in Oostenrijk. 'Piet vond het niet erg dat ie er niet bij was', zei Gerard toen hij was uitgesproken. 'En hij is opgelucht voor moe.'

Ook Marian werd gebeld, door Jo. Guus vroeg zich af waarom ze niet gekomen was. Zo ver was het toch niet fietsen, uit Assendelft? Misschien wílde ze er niet bij zijn. Ze had de afgelopen twee weken ook niet meer op moe gepast. 'Toen we met de morfine begonnen, wilde ze niet meer', had Lucie hem verteld. 'Ze vond het zeker te eng.'

Toos kwam nu ook eindelijk binnenlopen, met haar man. Zuster Bernarda was moe al aan het afleggen, samen met verzorgster Maaike, die ook was gekomen. 'Wat zullen we moe aantrekken, Toos?', vroeg zuster Bernarda. 'Doe maar haar roodzwart geruite mantelpakje', zei Toos. 'Dat stond haar altijd zo mooi.'

In de voorkamer werd druk gepraat. Hij wierp nog een laatste blik op zijn moeder. Je kon niet zeggen dat moe eruitzag of ze vredig was ingeslapen. Het was meer of ze met haar laatste krachten de eindstreep had gehaald en nu uitgeput was neergevallen.

Hij pakte ook een biertje. Er werd al gesproken over de advertentie die moest worden opgesteld.

'Welke tekst moeten we erboven zetten?', vroeg Lucie, die pen en papier in haar hand had.

'Als jullie maar gelukkig zijn, dan gaat het met mij ook goed', opperde iemand.

Ja, dat was mooi, vonden ze, dat zei moe altijd.

'Hoe heette moe eigenlijk voluit?', vroeg hij zelf. 'Maria Zachea', zei Jo. Hij had nooit geweten dat zijn moeder zo'n mooie naam had.

Er werden grappen gemaakt over Nico, die een tijdlang een verhouding had gehad met een van de verpleegsters, maar nu een nieuwe vriendin had. 'Wie is je verkering nou eigenlijk?', riep Lucie. 'Wie moet ik op de kaart zetten?'

'We weten er tegenwoordig geen eind meer aan, Niek!', riep Gerard.

Er werd gebeld, gerookt, gelachen. Iemand vroeg wie vannacht bij moe zou blijven slapen, want ze konden haar toch niet alleen laten, ook al was ze dood.

'Ik moest eigenlijk oppassen', zei Jo. 'Maar ik blijf nu niet slapen hoor, dat durf ik niet.'

'Mag ik wat zeggen!', riep Gerard, die vaak eerst even om aandacht vroeg als hij het woord wilde, omdat hij wist dat hij er anders toch niet boven uit zou komen.

Het werd stil.

'Ik heb het even uitgerekend. Wisten jullie dat we nu allemaal precies negen maanden voor haar hebben gezorgd.'

'Je mééént het!', riep Jo zoals alleen Jo dat kon uitroepen.

Guus voelde plotseling hoe moe hij was. Hij keek naar het Mariabeeld aan de wand, waarvoor nog steeds een kaarsje brandde. Het was een heel gewone Maria. Niet echt een mooi beeld. Maar hij zou het graag willen hebben.

❖

Nog één keer kwam Maria Zachea terug. Lucie vertelde hem erover, ongeveer twee jaar na moe's dood. Ze dronken samen koffie op hun werk in de Beemster. 'Wist je dat ik moe nog weleens heb gezien?', vroeg ze hem plotseling.

'Moe?!', had hij verbaasd gezegd. Ze waren niet bepaald een familie die geloofde in geesten.

'Ja, een paar maanden na de begrafenis. Ik was alleen thuis, zat op de bank een boek te lezen. Plotseling zag ik een schim langs de ramen gaan. Ik dacht eerst dat er bezoek kwam. Maar toen fladderde er ineens iets door de kamer. Heb jc wel eens een geest in een film gezien? Nou, zo zag het eruit. Een grijze, wappcrende dweil. Ze kwam door de achterdeur binnen, ging de hele kamer door en verdween toen door de voordeur naar buiten.'

'En hoe wist je dat het moe was, Luus', zei hij pesterig. 'Misschien was het wel een ander, die de weg kwijt was?'

'Nee, ik weet het heel zeker', zei Lucie. 'Ik had nog nooit een geest gezien. Ik wist niet eens of ik er wel in geloofde. Maar dit was moe die even langskwam om te kijken of alles goed met me was. "Ik zit hier rustig", heb ik gezegd. "U hoeft zich geen zorgen te maken." Zo is het vaker gebeurd. Ik denk dat ze ongeveer vijf keer is langs geweest. Ik heb steeds gezegd dat alles goed was. Daarna kwam ze niet meer terug.'

Hij wist niet goed wat hij erover moest zeggen. Het was een raar verhaal. Maar door Lucie's onverwachte openheid durfde hij wel iets anders te vragen. 'Heeft er iemand ooit nog wat gezegd over de manier waarop moe is gestorven?', vroeg hij. 'Maarten, Jo en Marian waren er toch op tegen?'

Lucie vertelde dat ze er nooit meer iets over hadden gezegd. Maar ze had hen er wel zelf naar gevraagd. 'Weet je nog die ene keer dat we een familiebijeenkomst hadden over het stuk land dat we nog hebben?'

Hij herinnerde zich de vergadering over het vroegere hooiland achter het huis, dat ze met z'n allen van moe hadden geërfd. Het was op een zondag geweest, bij Frans thuis. Ongeveer een jaar na moe's dood. Na afloop waren ze met z'n twaalven het land in gelopen, tot aan de ijzeren molen.

'Toen we gingen wandelen, ben ik even naast Jo en Maarten gaan lopen', vertelde Lucie. 'Ik vroeg hoe ze terugkeken op hoe het was afgelopen. Ik hield het een beetje vaag. Maar ze snapten me wel. En weet je wat Maarten toen zei? "Jij verdenkt me van conservatieve denkbeelden die ik helemaal niet heb. Moe was er zo slecht aan toe op het einde, ze had recht op een menswaardige, pijnloze dood." Nou, en toen knikte Jo ook driftig mee natuurlijk, je weet hoe die is.'

'En Marian?', vroeg hij.

'Marian vertelde me dat ze het zielig vond dat moe die pillen kreeg. Ze kon het niet aanzien. Maar toen het allemaal achter de rug was, had ze er toch vrede mee. Het was beter voor moe zo, zei ze. Moe was al zo dun geweest, ze moest toch niet veel magerder worden.'

Ze hadden nog een kop koffie ingeschonken. Hij was zelden zo vertrouwelijk met Lucie, die heel open leek, maar niet snel het achterste van haar tong liet zien.

'Jij was de aangewezen persoon om het te regelen, Luus', zei hij. 'Jij werkte maar halve dagen. Jij had er tijd voor.'

'Wat is dat nou voor onzin?', zei Lucie geïrriteerd. 'Zoiets dóe je toch voor je moeder als het moet. Het maakt toch niet uit hoeveel je werkt!'

Hij wist zelf ook niet precies waarom hij het zei. Misschien wilde hij laten zien dat hij belangrijker was in het bedrijf dan zijn zus.

Ruim een jaar eerder, in december 1997, hadden Jan, Piet en Martien de tuincentra in Zaandam en de Beemster verkocht en het bedrijf in Wormer opgeheven. De familie had alleen het hoveniersbedrijf in de Beemster gehouden. Daar was hij nu de baas van, samen met Lucie en hun vaste tuinarchitect. Ze waren terug bij het begin. De Koelemeijers waren weer kwekers en hoveniers. Net als vroeger legden ze zich alleen toe op het ontwerpen en aanleggen van exclusieve tuinen.

Hij had al langer gezien dat Jan, Piet en Martien er genoeg van hadden, na veertig jaar keihard werken. Dus toen de firma Blokker een mooi bod deed, was de zaak snel bekeken. Zijn broers hoefden nooit meer te werken.

Lucie had zich weer over de administratie gebogen.

'Ik ga even naar de kwekerij, Luus', zei hij. De kwekerij was een paar kilometer verderop, in Hobrede. Hij liep er graag een rondje. Als je aan de rand stond, keek je ver de polder in.

Het was mooi weer, ook al was het pas maart. Strakblauwe lucht, een fris windje. De bomen waren de winter goed doorgekomen, zag hij. Zelfs de bijzondere, kwetsbare soorten. Sommige liepen al uit.

Terwijl hij tussen de jonge aanplant door liep, dacht hij aan moe, die als een dweil door de kamer was gefladderd. Het was mooi dat ze juist bij Lucie was langs geweest. Misschien had hij dat tegen haar moeten zeggen. Maar daarvoor was het nu te laat.

De familie in 2011

Jo [1934]
is getrouwd, huisvrouw en heeft drie kinderen.

Toos [1937]
is getrouwd, huisvrouw en heeft vier dochters.

Maarten [1939]
werkte na zijn studie klassieke talen als leraar Grieks en Latijn. Inmiddels is hij gestopt met lesgeven. Hij is getrouwd en heeft twee kinderen.

Jan [1941]
is getrouwd en heeft geen kinderen. Hij werkte vanaf zijn dertiende in het hoveniersbedrijf van pa. Samen met Piet en Martien bouwde hij het bedrijf uit tot een tuincentrum met drie vestigingen. Jan en Piet leidden samen jarenlang de zaak in Wormer. In december 1997 werden de tuincentra in Zuidoostbeemster en Zaandam verkocht en het bedrijf in Wormer opgeheven. Sinds die tijd is Jan met pensioen.

Piet [1942]
is getrouwd en heeft drie kinderen. Hij werkte vanaf zijn veertiende in het hoveniersbedrijf en is sinds de verkoop van de zaak in 1997 met pensioen.

Nico [1943]
studeerde klassieke talen. Hij werkt als leraar Grieks en Latijn op een scholengemeenschap. Uit zijn eerste huwelijk heeft hij vier kinderen. Hij woont nu samen.

Gerard [1945]
voltooide zijn studie rechten. Hij heeft een eenmansbureau voor rechtshulp bij arbeidsconflicten. Zijn vrouw
overleed in 1992. Hij heeft twee zonen uit Colombia.

Martien [1946]
werkte vanaf zijn veertiende in het hoveniersbedrijf.
Hij was sinds 1968 directeur van het tuincentrum in
Zuidoostbeemster. Uit zijn eerste huwelijk heeft hij
twee geadopteerde kinderen uit Korea en twee eigen
zonen. Zijn tweede vrouw bracht twee kinderen mee.
Sinds de verkoop van de zaak eind 1997 werkt hij niet
meer.

Marian [1947]
is huisvrouw en sinds een aantal jaren weduwe. Ze heeft
twee kinderen.

Frans [1949]
studeerde sociologie en is beleidsmedewerker bij de gemeente. Hij is gescheiden, heeft twee kinderen, en woont
samen met zijn nieuwe partner.

Lucie [1951]
werd na de Sociale Academie sociaal-cultureel werkster.
Sinds 1996 werkte ze op het tuincentrum in Zuidoostbeemster. Na de verkoop van de tuincentra in Zaandam
en Zuidoostbeemster in 1997 en het opheffen van de
zaak in Wormer ging ze in het hoveniersbedrijf van de
familie werken, dat buiten de transactie was gehouden.
Sinds 2003 is zij directeur van Koelemeijer Hoveniers.
Haar man is overleden in 1999. Ze heeft twee kinderen
en leeft samen met haar nieuwe partner.

Guus [1953]

werkte vanaf zijn tweeëntwintigste in het familiebedrijf, waarvan ook een aantal jaren als mede-eigenaar. In 2004 trok hij zich om gezondheidsredenen terug. Sindsdien verblijft hij veel in zijn verbouwde boerderij in Frankrijk, samen met zijn derde vrouw. Uit een eerdere relatie kreeg hij een dochter.

Verantwoording

Dit boek is gebaseerd op de vele lange gesprekken die ik had met mijn familieleden. Alles wat erin is beschreven, is mij door hen zo verteld. De citaten uit het 'logboek' zijn letterlijke citaten.

Dat de 'waarheid' in dit boek niettemin een rekkelijk begrip is, spreekt voor zichzelf. Het ging mij immers allereerst om de subjectieve herinneringen van twaalf broers en zussen, met alle tegenstrijdigheden, onvolledigheden en persoonlijke inkleuringen die daar bij horen.

Waar algemene, historische feiten genoemd worden, heb ik die uiteraard zo veel mogelijk gecontroleerd. Een aantal passages had ik ook niet kunnen schrijven zonder dankbaar gebruik te maken van andere bronnen.

Ik noem ze hier, in volgorde van de hoofdstukken:

Jo De tekst van het liedje over Amerika komt uit de uitzending van *Negen Heit de Klok* van 13 januari 1951 (zoals bewaard in de fonotheek van de NOS in Hilversum).

Maarten Het krantenartikel over de begrafenis van Jos trof ik aan in het foto-album van zijn uitvaart, dat door de familie is bewaard. Helaas was niet te achterhalen uit welke krant dit artikel komt. Het komt in ieder geval niet uit *Dagblad voor de Zaanstreek – de Typhoon* of *De Zaanlander*: de twee regionale kranten uit die tijd. Mogelijk was het verhaal opgenomen in de Zaanse editie van *Het Vrije Volk*, maar deze uitgave is op die datum niet bewaard gebleven.

Nico De citaten in de passage over de uitzending van bisschop Bekkers op televisie zijn ontleend aan het boek *Nieuw Babylon in aanbouw – Nederland in de jaren zestig* (pagina 82-83).

Gerard Het stuk over de Vietnam-*teach in* is groten-
deels geïnspireerd op een artikel in *Het Parool* van 30
oktober 1965 over deze bijeenkomst, geschreven door
Aad van der Mijn: 'Praat-estafette in marathon-formaat'.
De citaten van de verschillende sprekers komen ook
regelrecht uit dit artikel.

De feiten in de passage over de bestorming van het
Telegraaf-gebouw zijn ontleend aan het boek: *De visie
van de pers op: Politiek in Nederland 1965-1975 – onlusten in Amsterdam 1965-1967* (pagina 122-124).

De citaten van priesterneef Jan Ruijter komen uit een
interview met hem in *Elsevier* van 20 september 1969.

Frans De citaten van Jan Ruijter komen uit een interview in *De Nieuwe Linie*, van 28 juni 1972. Het citaat
uit de nieuwsbrief van de RKPN is te vinden in de nieuwsbrief van de partij van 17 december 1973. Het betreft
hier een gedeelte van een radiotoespraak van Jan Leech-
bruch Auwers, secretaris van de RKPN.

Lucie De citaten van pater Werenfried van Straaten zijn
ontleend aan de plaat *Pro Vita*; een toespraak van de
pater die werd opgenomen in de Matthiaskerk in Maas-
tricht op zondag 7 oktober 1973. De lp is in 1973 uitgegeven door pater J. Koopman s.s.s.

De teksten op de spandoeken van de Dolle Mina's heb
ik ontleend aan foto's van demonstraties uit die tijd, zoals gepubliceerd in *Nederland in de jaren zestig. Fragmenten uit een samenleving.*

Tot slot een overzicht van de literatuur die ik heb geraadpleegd:

Berg, B. en H. van den, *Nederland in de jaren zestig.
Fragmenten uit een samenleving. Elmar, z.j.
Eekert, P. van, D. Hellema en A. van Heteren, *Johnson*

moordenaar! De kwestie Vietnam in de Nederlandse politiek 1965-1975, Jan Mets, 1986.

Grandiek, B. (red.), *Honderdvijfentwintig jaar kerk en samenleving.* Uitgave van de parochie van de Maria Magdalenakerk Wormer, 1994.

Hofland, H.J.A., *Tegels lichten of ware verhalen over de autoriteiten in het land van de voldongen feiten.* Contact, 1972.

Kennedy, J.C., *Nieuw Babylon in aanbouw – Nederland in de jaren zestig.* Boom, 1995.

Kemp, B., K. Kemp en K. Jonker, *Beklemmende Jaren. Kroniek van Wormer in de Tweede Wereldoorlog.* 5 Mei Comité Wormer, 1988.

Kerklaan, M. (red.), *Zodoende was de vrouw maar een mens om kinderen te krijgen – 300 Brieven over het Roomse huwelijksleven.* Ambo, 1987

Koning, M.E.L. de, en F.M. Mijnlieff, *De visie van de pers op: Politiek in Nederland 1965-1975, onlusten in Amsterdam 1965-1967.* SDU, 1991.

Righart, H., *De eindeloze jaren zestig – geschiedenis van een generatieconflict.* De Arbeiderspers, 1995.

Quant, L. en B. Rootmensen (red.), *Brieven aan pater Van Kilsdonk.* Amsterdamse Studentenekklesia, 1982.

Nawoord

Dit boek was nooit geschreven zonder de medewerking van mijn familie. Mijn vader en zijn broers en zussen hebben het aangedurfd om zich te laten uithoren door hun dochter en nichtje, in lange en vaak openhartige gesprekken.

Uiteraard hadden sommigen aanvankelijk hun aarzelingen bij dit boek. Toch hebben mijn ooms en tantes mij hun vertrouwen gegeven. Ik mocht zo vaak langskomen als ik wilde, ze stonden me toe eindeloos door te vragen of terug te bellen. Ik kan hen daarvoor niet genoeg bedanken. Ik dank mijn vader, die me met zijn humor en enthousiasme steeds hielp te blijven geloven in de heikele onderneming, ik dank Jo, Toos, Maarten, Jan, Nico, Gerard, Martien, Marian, Frans, Lucie en Guus voor hun openheid, eerlijkheid en vertrouwen.

Ook mijn uitgeefster, Ine Soepnel, ben ik veel dank verschuldigd. Zij heeft vanaf het begin geloofd in het project en blééf dat doen – met veel enthousiasme en nog veel meer geduld.

Petra de Koning, Céline Linssen en mijn zus Rosa Koelemeijer gaven me waardevolle adviezen na lezing van de eerste versie van het manuscript.

Ten slotte kus ik ook Vuk Janić, mijn lief, voor alle inspirerende gesprekken aan de keukentafel; voor zijn bemoedigende woorden en zijn wijze, kritische raad.

Judith Koelemeijer, augustus 2001